ちくま文庫

日本の気配 増補版

武田砂鉄

筑摩書房

はじめに

本書のタイトルは『日本の気配』である。なぜ、空気ではなく、気配なのか。空気読めよ、とは言われるが、気配読めよ、とは言われない。気配なんて読めないからだ。今、政治を動かす面々は、もはや世の中の「空気」を怖がらなくなったように思える。反対意見を「何でも反対してくる人たち」と片せば、世の中の空気ってものを統率できる、と自信に満ち満ちている。「空気」として周知される前段階を「気配」とするならば、その気配から探りを入れてくる。管理しようと試みる。差し出された提案に隷従する私たちは、「気配」から生み出される「空気」をそのまま受け流す。それは政治の世界だけに留まらず、メディアの姿勢にしても、個々人のコミュニケーションにおいても同様ではないか、とも思う。

まったくベタな手口で恥ずかしいけれど、辞書を引いてみる（大辞林）。

「空気」＝その場の状態や気分。雰囲気。また、社会や人々の間にみられるある傾向。
「気配」＝周囲の状況から何となく感じられるようす。

その場に流れている状態や気分を、社会や人々の間にみられる傾向を、国家もメディアも個人も丁寧に察知し、そこから踏み外さないように心がけている。踏み外した時には四方八方から夥しい数の突っ込みを浴びることを知っているから、空気を熟知し、その場をやり過ごす。とにかく入念に。

辞書の説明が示すように、空気が「その場」で起きていることの「傾向」ならば、気配は「周囲」の状況から感じられる「ようす」である。何がしかについて議論しなければならない時、その議題に賛成する立場であろうとも反対する立場であろうとも、「その場」に近い人の意見ばかりがまかり通り、それが空気を形成していく。現在の宰相とその周辺は、空気の取り扱いが実に上手い。「国民の理解が得られました」と連呼する時、多くの国民の声を「その場」から排除する。3・11以降、あいまいな日本の心性を再稼働させているのは、「空気」ではなく「気配」なのではないか。

本書は晶文社スクラップブックで連載していた「日本の気配」の原稿を方々にまぶしながら、これまで様々な媒体で記してきた原稿を編み直した一冊である。編み直したとはいっても、ほとんど書き直している。これまで、どうにも心地悪い日本の気配をほじくってきた、という少々の自負がある。摑むことができないのに、違和感がまとわりつく感覚。いったい、「気配＝周囲の状況から何となく感じられるようす」とはどこで芽生えているのか。「何となく」を作り出しているのは誰か。空気読め、では見つからない、気配の在り処を見つめていきたい。

＊増補版のための補足。「気配＝周囲の状況から何となく感じられるようす」という、その都度変化していくものを捉えていく作業をした以上、各原稿の後に追記をした。「何となく」がいかに更新されているか、こちらも読んでほしい。

目次

はじめに　3

第1章　空気と気配

ヘイトの萌芽　15
「われわれ」とは誰なのですか　26
あいつがテロリストかもしれないよね　38
悲しみをとどめる　48
「笑われる」気配　59

第2章　隷従する私たち

予測された混迷——ただ解体が進んだ国立競技場　71
地方創生と原発広告　87
首相を揶揄する落書きを描いた場合のみ逮捕される社会　94
軽減税率適用を懇願する新聞・出版の体たらく　98
左派が天皇陛下の言葉にすがる理由　103
鼻くそを自由にほじれない社会　110
一体どこまで監視を許容するのか　117
マイナンバーを提供しません　122
子どもにすがる消費税増税ＣＭ　132
「安楽死」を〝お涙頂戴〟の新ネタにするな　138
「ダウン症が増えました」という記事の暴力性　143
ニール・ヤングがスターバックス不買運動を起こした理由　148

第3章　愚者と巧者

「誤解」と言わせないための稲田朋美入門　159

小池百合子のテレビ活用法　163
「昭恵夫人だから」で許しちゃう感じ　169
イヴァンカ・トランプ初来日公演　173
長谷川豊の「日本語の持つ力」　178
秋元康の「右傾化」パフォーマンス　184
なんと、美しく下品であるのだろう　189
思うがままに糞をする　197

第4章　政治の気配

胸に刻み続ける〝官設〟話法　207
「他よりマシ」と付き合う　216
憤りを引きずる　222
嘲笑のひとつひとつを許さない　237
「ハーフ」ではなく「ダブル」　243
「2020年」でうやむやにする人たち　247

国民を置き去りにする政治の「正しい言葉」　255
正しい家族になりましょう　265
空気を管轄する　271

第5章　強いられるコミュニケーション

駅長の言葉に歯向かう　279
訃報をこなす感じ　283
「させていただく」への違和感　292
吃音者と「コミュニケーション」能力　299
「ありがとうございました」と言ってくれるかもしれない　304
コミュニケーションを「能力」で問うな　313

あとがき　326
増補版のためのあとがき　329
解説　中島京子　337

初出一覧　341

各項目末の＊以降は、二〇二一年六月時点の追記です。

日本の気配　増補版

第1章　空気と気配

討論番組や鼎談記事で、「それは社会学では○○だと言われていて」と学者が言えば、別の学者がその話を引き受けて、「今の議論はとても重要だと思っていて、マクロ経済学の世界でも……」と続いていくのを目にする。その聡明な見解のそれぞれに納得するのだが、大学教授の研究室を訪ね歩き、繰り返し「一理あるね」と言われているだけ、という気もする。頭の切れる人に、一理あるよね、と言わせるのはそんなに難しいことではない。万事に一理はあるのだ。社会に向かう「見方」を複数知るのは大切なことに違いないが、世の中の事象すべてを自分のジャンルに落とし込んで議論を整理し続ける手技を繰り返されると、果たして議論とは整理を目指すものなのだろうか、と戸惑ってしまう。世の中に渦巻いている感情というのは、常に複雑なままを維持している。ならば、その「複雑なまま」に付き合わなければいけないはずだが、私たちはつい、整理できる人を欲し、未整理を放置する人を見下しがち。見下されないように、自分のことを分かってくれる人を呼び寄せる。すると、居場所は確かに見つかる。結果、自分のフィールド以外の人を重要だとは思わない、不寛容な社会が出来上がってしまうのではないか。そんな社会の空気を摑むところから始める。いずれも、一理あるはずだ。

ヘイトの萌芽

妻と1台の自転車を共有しているので、自分が使用するときには駐輪場でサドルを上げてから乗る。こちらが自転車を使うのは夜遅くにレンタルビデオを返却しに行くときくらいのもので、鈍い音を出さぬように錆びたサドルを慎重に上げる姿は、当然、パトロール中の警官の餌食になる。決して人を安心させる風貌でもないので、職務質問を受けるのは残念ながら慣れたものだ。声をかけられた瞬間は不快に感じるものの、確かにこのシチュエーションを素通りするようならば警官失格、という場面ではある。あちらの気持ちをひとまず慮る。

深夜にパトロールする警官が2人組で行動するようになったのはいつ頃からなのだろう。これで自分たちの安全は倍になるけれど、街の安全は半減しますよね、と皮肉を垂れる余裕などなく、2人の警官に挟まれながら防犯登録シールを確認、氏名を聞かれる。「じゃあ、気をつけて」と送り出されながら、彼らが職務質問を判断する条件とは何なのかと考え込む。警察OBがこれまでのキャリアで培った捜査術を偉そうに垂れる様子は改編期の穴埋め番組の箸休めとして散見されるが、彼らが常に、犯人や犯罪の「傾向」をスキャンダラスに提示してしまえることに、バラエティ番組とはいえ抵抗感がある。静かな住宅街で殺人事件が起きたら、真っ先に「土地勘のある顔見知りの犯行では」と言ってしまえる人たち。その推察の危うさを前に、この人は警察で何十年も何を学んできたのだろうと素人は思うのだが、そういう推察の危うさを排する姿勢がキャリアアップに繋がっているならば、素人の考えのほうが正しいと思う。とはいえ、「傾向」を察知してからでないと踏み込めないこともあるのだろうと、「傾向」で踏み込まれたこちらは渋々理解してみる。

近くに住む知人の3階建てマンションはコの字型で、その「コ」の真ん中に駐輪場があり、顔を上げると全ての部屋の出入りを見渡すことができる。休日の昼間、その駐輪場に自転車を止めていると、2階の部屋の玄関口から「なんなんですかっ!」と、男性の、やや強めの声が聞こえてきた。家政婦は見た、ならぬ、駐輪場は見た。ご近所トラブルをしばし観察することにした。2階の玄関で叫んでいるのは、その上の階に住む男性のようだ。しばし聞いていると、子どもの歩く足音がうるさいと、階下の男性から棒のようなもので天井をコツコツ突つかれ、それに怒った3階の男性が物申しに来たことがわかる。

双方の怒りが一気にブツかり合う構図だが、幸いなことに両者の語り口調は冷静である。

3階・男「小さな子どもが歩き回るのはしかたないでしょう」

2階・男「あれが『歩き回る』レベルですか」

3階・男「そりゃあ多少は足音が大きくなることもあるでしょう。申し訳ないとは思っています」

2階・男「そもそも、あなたたちは一度もこの件を挨拶しに来ていませんね。さすがに礼儀に欠けるのではないですか」

ここまで3階の男性は比較的おとなしかったが、「礼儀に欠ける」との一言を受けて、態度が一変する。

3階・男「礼儀に欠けるとは何だ。仕方ないじゃないか。子どもがいるんだぞ。少しは我慢しろ」

2階の男性も応戦する。

2階・男「子どもを盾にするな。あなたたちから一言あれば、こんなことにはならなかったんだよ」

3階の男性が、意を決したように言う。「……お前、中国人だろう?」「中国人だからなんだっていうんだ！」」、コの字型のマンションに怒声が響き渡る。「文句があんなら中国に帰れよ」「ふざけるんじゃない、おまえ、もう一度言ってみろ」「だ、か、ら、中国に帰れよ」「警察呼ぶぞ」「あぁ、呼べよ、呼べよ」。当初の冷静さは消え、3階の男性も2階の男性も殺気立っている。コの字のマンションの、いくつかの玄関がカチャリと静かに開く音がする。いきなりの怒声に気づき、様子をうかがっているのだろう。そこへ、おもむろに「パパ〜」と3階の子どもが階段を降りてやってきた。妻も一緒だ。どこかへ出かけるようだ。出し合った怒声を抑えた2人、会釈もせずにドアが閉まる。エレベーターに向かう道すがら、「てゆうかあいつ、中国人なんだよ」と夫。「へぇー、そうなんだぁ」と妻。

「てゆうかあいつ、中国人なんだよ」は、この夫と妻の会話において、すぐさま話を落ち着かせる「オチ」として用いられている。駐輪場から家政婦ばりに見ていた自分やマンションの居住者は、「キサマ、今の発言はないだろ」と、平和そうなファミリーを切り裂くように噛みつくことはしない。人様のルーツを深く傷つける言葉を繰り返しておきながら、子どもの姿を見た途端、すっかりパパの姿を取り戻した彼を咎める人はいない。「中国に帰れよ」と叫んだパパは、いつもの休日を楽しもうとしている。

街を練り歩きながら「朝鮮人は死ね！」などと叫ぶヘイトスピーチは社会問題化し

たが、当初、通常国会に提出された「人種差別撤廃施策推進法」は継続審議となり、うやむやに扱われた。提出された「人種等を理由とする差別の撤廃のための施策の推進に関する法律案」を今さら通読する。「人種等を理由とする差別の撤廃のための施策を総合的かつ一体的に推進することを目的」とするとした上で、「第3条　何人も、次に掲げる行為その他人種等を理由とする不当な差別的行為により、他人の権利利益を侵害してはならない」とある。第3条はこのように続いた。

一　特定の者に対し、その者の人種等を理由とする不当な差別的取扱いをすること。

二　特定の者について、その者の人種等を理由とする侮辱、嫌がらせその他の不当な差別的言動をすること。

2　何人も、人種等の共通の属性を有する不特定の者について、それらの者に著しく不安若しくは迷惑を覚えさせる目的又はそれらの者に対する当該属性を理由とする不当な差別的取扱いをすることを助長し若しくは誘発する目的で、公然と、当該属性を理由とする不当な差別的言動をしてはならない。

続く第4条は「人種等を理由とする差別は、職域、学校、地域その他の社会のあらゆる分野において、確実に防止されなければならない」である。あらゆる分野において、確実に防止されなければならないのだ。国連の人種差別撤廃委員会は日本政府に対して、ヘイトスピーチに毅然と対処し、法規制するよう求める「最終見解」を示していた。ネットで増殖する罵詈雑言への懸念も表明し、提案された法案には「国及び地方公共団体は、インターネットを通じて行われる人種等を理由とする差別を防止するため、人種等を理由として侮辱する表現、人種等を理由とする不当な差別的取扱いを助長し又は誘発する表現その他の人種等を理由とする不当な差別的表現の制限等に関する事業者の自主的な取組を支援するために必要な措置を講ずるものとする」と踏み込んだ文言もあった。同時に「助長」や「誘発」という曖昧な表現も目立った。この提議に対して難色を示したのが自民党。「政治的主張に人種的な内容が含まれる時がある」「禁止する言動が明示されなければ、表現行為を萎縮させ、表現の自由を害する恐れがある」（2015年8月28日・朝日新聞）との懸念を並べた。その後に、ヘイトスピーチ解消法が成立したが、当初、彼らが難色を示していたという記憶を消してはいけない。「そんなの必要なくない？」との意向を彼らは示していたし、その態度は引き続いている。

知人宅からの帰り道、「中国に帰れよ」というヘイトスピーチを公然とおこなった3階のパパを、なぜ自分はそのまま放っておいたのかと考え込む。頭に早速浮かぶのが「公共のマナー」なんて言葉なのが情けないが、マンションの中で彼に摑みかかる自分は、たちまち見知らぬトラブルメーカーとしてマンション中から白い目で見られるだろう。パパが誰かに怒鳴られている、と子どもは泣き出し、困惑した妻は黙りこくるのだろう。そっと玄関を開けて様子見するマンション住民からしてみれば、言い争いの中に出てくる「中国に帰れよ」よりも、こちらの行為に怪訝な目を向けるはず。街を練り歩き、特定の民族を排他しようと躍起になる連中の愚行を私たちの多くが認識しているが、マンションで叫ばれるヘイトスピーチにおいては「公共のマナー」を優先させてしまう。集団で結束し、差別感情を剝き出しにしている様子は嫌悪しても、固有の空間で突発的に露出した差別感情にはなぜだか寛容になってしまう。この差異を放ってはいけない。むしろ、差別感情の萌芽はこちらではないか。こちらを摘み取らなければ、一面に咲いた後でしか「ヘイト」を摘むことができなくなる。

ふと、かつて北朝鮮に取材へ出向いた時のことを思い出した。もう5年も前になるが、取材で1週間ほど平壌に滞在した。滞在も終盤になった夜、大衆食堂にあるトイレに向かった。トイレに入ろうとすると、日本の安居酒屋で時折聞こえる力強い吐瀉音が聞こえてきた。おそるおそるドアを開けると、男が目の前にいる。彼は便器に向かってではなく、床に広がるように吐瀉していた。ったく困ったな、とゲロを避けながら小便器に向かったのだが、ふと、そうか、彼らも日頃の鬱憤を晴らすように酒を飲み、自分の体の異変に気付かぬほどに「まだもう一杯」などと飲み過ぎてトイレにかけこむのか、と当たり前の感想を頭に蓄えた。北朝鮮の若者もまた、トイレの床にゲロを吐くのである。悪臭が立ち込めるトイレを出ると、大きなテレビモニターに、日本選手と北朝鮮選手が戦う柔道の試合が映し出されていた。この国のスポーツ中継は生放送ではなく、負けなかった時だけ放送される、なんて話も聞いたから、それが生放送だったか録画だったかはわからない。

　モニターの前では、連日連夜、ニュース番組に粗雑なコメントを提供し続ける新橋駅前のサラリーマンのように、泥酔した男性たちが何人かで肩を組んでいる。こちらが日本人だとわかったのか、手招きされる。言葉はわからないが、ジェスチャーから察するに、俺たちとお前たちの国が勝負してるんだから、一緒に見ようぜと、誘い出す仕草だった。こちらは咄嗟にそれを拒んでしまう。両手を前に出し、小さくバイバイするように、イヤイヤイヤ、と何歩か後ろに下がってしまう。シンプルに言えば、あちらはこちらに偏見を持っていないのに、こちらはあちらに偏見を持っている。もう間もなく帰国する日だってのに、彼らに対する偏見を持ったまま、ホロ酔いの北朝鮮人を避けたのである。

　かつて提案された法案にあったように、誰しも「属性を理由とする不当な差別的言動をしてはならない」はずである。このところ繰り広げられてきたヘイトを許すはずがない。許すな、とその手の原稿を繰り返し書いてきた。でも、個々人では、属性を平然と、或いはうっかりと区分けしてしまう。それは確実にヘイトの萌芽なのだと思う。こちらに手招きしてきた北朝鮮人を避けたことを伝えても、おおよその人たちが「私でもそうする」と賛同してくれるだろう。北朝鮮人に理解を示そうとすれば、むしろ煙たがられる。

では、この賛同、「私でもそうする」とは一体何なのか。人を理解しようとしたら煙たがられるって、どういう事態なのか。日本人と日本は一緒ではない。ならば、北朝鮮人と北朝鮮という国も、一緒ではない。安倍晋三と私たちが一緒ではないように、金正恩と彼らは一緒ではない。あらゆる国家と比較すれば、北朝鮮はそれが同一視されやすい国家体制に置かれているけれど、彼らだって、酔っぱらってトイレで嘔吐する。便器に吐きゃいいのに床に吐く。スポーツの試合を観て、歓喜する。相手の国と睨み合って、負けてたまるかと意気込む。あの場で嫌悪感を持っているのはこちらだけだった。まさしくそこには「属性を理由とする」心情が生まれていた。差別的言動があった。マンションで、とても温厚そうなパパが「お前、中国人だろう?」と吐けてしまうのは、そこに加害性があるとはわかっていても、これが一般論として通じるという予測が彼にあったからなのだろうし、実際、「コ」の字のマンションに、物申す人は自分も含めて誰もいなかった。

「ヘイト」が問われる機会が増え、決して許してはならないと多くの人が共有しているが、その憎悪を切り刻んで個人レベルに落とし込むと、人はそれよりも「通例」や「傾向」を優先して処理しようとする。マンションで「お前、中国人だろう？」と挑発するパパ、北朝鮮人に手招きされて後ずさりしてしまう自分、この手の萌芽はこうやって点在する。

日頃、根も葉もない、というか、根も葉も必要とせずに扇情的なコメントで一部の喝采を浴び続けるネトウヨを叱咤する。しかし、その叱咤を自分の所作と都合よく分離させていないか。「とはいえ、やっぱりそこはねぇ」とのしたり顔が自分にインプットされていないか。この手のしたり顔が、「人種」という区分けを今さらながら熟成させているのではないか。マンションに響く「中国に帰れ」を誰も叱責しなかった。「社会」問題は常に「自分」問題だが、そういう能書きを垂れている自分こそ黙認しちゃったのだから情けない。本書では時事問題についても色々と述べ連ねているわけだが、いざ、その社会問題が極めて個人的な事象として接近してきた時に、オマエ、きちんと主張できんのかよという、焦りや不安がものすごくある。

＊東京オリンピック・パラリンピック組織委員会の森喜朗会長が女性蔑視発言によって辞任に追い込まれ、彼を「父」と慕う橋本聖子五輪担当大臣が森の後任に就任、空いた五輪担当

大臣の座には丸川珠代議員が就いた。テレビ朝日でアナウンサーをしていた丸川が出馬した際の選挙ポスターにあった文言を思い出す。

「日本人でよかった。」

〇〇人ならばよくなかったのか、〇〇人ならば問題があったのかと聞いても答えてくれないのだろうが、この手の文言は、書店に出向き、時事問題や評論のコーナー（ああいった本って、時事問題なのだろうか、評論なのだろうか、と毎度いちいち思う）を覗けば、いくらでも並んでいる。日本スゴイ、と繰り返す。スゴイと言い張るために、あそこはスゴくないと言う。

新型コロナウイルスの感染が拡大し、緊急事態宣言を発出した２０２０年４月７日、安倍晋三首相（当時）は、イタリア人記者から「（コロナ対策が）失敗だったらどういうふうに責任を取りますか」と問われ、「最悪の事態になった場合、私が責任を取ればいいというものではありません」と述べた。不備があれば「あなたの責任は？」と真っ先に問われる役職だが、なんと、問われる前から「責任は取らない！」と言ってのけたのだ。この時点で辞任すべきだったが、どう続けたかといえば、「御国と比べても感染者の方の数も死者の数も桁が違う状況であります」だった。責任は取らない、あと、あなたたちの国と比べてマシです、と答えた人が国を動かしていた。日本人でよかった、のだろうか。

東日本大震災からまもなく10年という２０２１年２月13日、福島県沖でマグニチュード

7・3の地震が発生した。ネット上には、特定の民族を特定した上でのデマがばら撒かれたが、それを止めようとする声は公的にはあがらなかった。「ヘイトの萌芽」は、残念なことに、そこかしこに埋まっているし、権限を持つ人間たちが、いざという時に、その萌芽に頼っているようにさえ見える。

「われわれ」とは誰なのですか

あと半年で一線を退くと決まっている社長がスケールの大きい所信表明をおこなえば、社員の大半は上の空で聞くはずだが、あとわずか8カ月で任期を終えるタイミングでやってきたオバマ大統領の演説を含む広島訪問について、共同通信社がおこなった全国電話世論調査によると、98・0%が「よかった」と回答していた。ドナルド・トランプという一世一代の気分屋が世界を攪乱させている時点では、オバマの広島訪問自体が記憶から霞んでいるが、あの時、他の媒体がおこなったアンケートでも軒並み9割を超える人が賛同を示していたことを思い出してみる。何がそんなに「よかった」のだろうか。

アメリカ大統領として初めて被爆地・広島を訪れたオバマは、核攻撃の承認に使われる「核のボタン」を被爆地に初めて持ち込んだ大統領にもなった。食べかけの青椒肉絲のお皿を持ちながら「私はピーマンが嫌いです」と訴えることほど説得力のない話もないが、核のボタンを携えながら核廃絶を訴えるというのは、それに似た悪質な皮肉を含んでいた。この皮肉を頭に置けば98%という数値は出なかったはずだが、圧倒的多数を確認すると「これから苦言を呈してもしょうがなくね?」と語尾上げで追認するメディアは、98%の「よかった」がいかに作られたかについて、少しも煩悶せずに心地良く伝えていた。残りの2%の意見にようやく出合えたのはメディアの言葉ではなく、投書欄で見かけた80歳男性(三重県・無職)の言葉だった。どの媒体よりも端的に、手厳しい見解を投じていた。

「彼の格調高い演説の中には『核兵器なき世界を追求する勇気』の具体策を聞くことはできなかった。それどころか大統領は常に『核のボタン』のカバンと一緒に移動するという現実を我々は目の当たりにした。核兵器断絶という主張との矛盾を感じた」

(朝日新聞・2016年6月4日朝刊)

兼ねてから言われてきたことだが、広島平和記念公園の原爆慰霊碑に刻まれている言葉「安らかに眠ってください　過ちは繰返しませぬから」には主語がない。1959年に日本へやって来たチェ・ゲバラは、当初予定していなかった広島訪問を懇願した。原爆病院や資料館を訪ね、同行した日本人に対して「君たちはアメリカにこんなひどい目に遭わされて、どうして怒らないのか」と言い残した。原爆慰霊碑に刻まれた言葉を見て「なぜ主語が無いんだ」と尋ねた。これでは、あたかも日本人が過ちをおかしたかのようにもとれるではないか、と。

この主語の不在について、広島市のウェブサイトに見解が提示されている。「碑文の中の『過ち』とは一個人や一国の行為を指すものではなく、人類全体が犯した戦争や核兵器使用などを指しています」

ざっくり膨らませて逃げているようにも思えるが、なるほどそうか、とひとまず納得できるものではある。だがしかし、今日を生きる日本の為政者が、アメリカに対して自分たちの主語を譲渡しているとなれば、碑文の主語の不在がどうしたって再び目立ち始める。２０１７年、国連本部で開かれた核兵器禁止条約制定交渉会議への不参加を表明した日本。真っ先にゴルフ仲間になってくれたトランプに配慮した措置だが、その日本政府代表の席には抗議の意味を込めて、「wish you were here（あなたがここにいてほしい）」と記された折り鶴が置かれていた。不参加となった理由について岸田文雄外相（当時）は「核兵器国と非核兵器国の対立を一層深め、逆効果になりかねない」と言い訳しているが、論理がたちまち破綻している。その自覚はご本人にもあることだろう。「唯一の戦争被爆国」との主語を正しく使えない姿を確認すると、あのオバマ訪問は支持率回復のエネルギー源にすぎなかったのかと吐き棄てたくもなる。そんな現在に対して、ゲバラの言い残した「君たちはアメリカにこんなひどい目に遭わされて、どうして怒らないのか。どうして怒らないのか」を再びぶつける。どうして主語をあずけて同調するのか。

一体、誰が過ちを犯したのか。オバマが広島を訪問することが決まると、わざわざいらっしゃってくださる先方から、謝罪はしません、謝罪と思われる所作や表現を極力避けます、との情報があらかじめ伝えられ、その印象が崩れないように、カメラ位置はもちろん、植木鉢の位置まで確認し、あちらが望む通りにこなしていった。画期的な一歩に違いなかったけれど、98％という異様なまでの肯定には、受け止める側の鈍感さが表出していた。

ジャーナリスト・堀川恵子は、「溜息が混じる感動」と題した文章を訪問の数日前に記している（東京新聞・2016年5月25日夕刊）。

「戦後の広島は、折にふれ政治的パフォーマンスの場として使われてきた。毎年8月6日には政治家らが壇上に立ち、その日限りの平和と反核を訴える。今回の大統領の広島訪問は、日本の選挙を前にしたタイミングとも重なった。日米同盟の強化を訴えるには絶好の機会だ。『未来志向』を掲げオバマ大統領を歓迎する政治家たちの姿に、平和や反核とは異なる理屈が透けて見えるのは私だけか」

堀川の牽制はたちまち予言となり、「異なる理屈」は透けるどころか眼前に広がった。演説を終えたオバマが、列席していた被爆者のもとへ向かう。安倍首相は当初、オバマの横に寄り添った。オバマと被爆者が握手を交わしながら話し始めると、安倍首相は、その間に入り込むようにして、仲介をしたのは自分であると思わせる構図に体をゆっくりと動かしていく。あたかもそれは、1993年、オスロ合意に調印した後、握手するイスラエル・ラビン首相とPLO・アラファト議長の間に入ったビル・クリントン大統領のよう。映像を細かく確認すると、対話の最中、安倍首相は2歩ほど真ん中に体を動かしている。取材陣のカメラを見やり、「仲介している」との印象を強めるためにどこへ立つのがベストかを探索した。その行動を、ちっとも非道だと思わない。むしろ、政治家として優秀な判断なのだろう。堀川が書くように、だってここ広島は彼らにとって、いつだって政治的パフォーマンスの場なのだから。その場で最適なパフォーマンスを模索するのは当然のことである。ただ、それを「パフォーマンスではないか」と指摘せずに、日米の功績として伝えるのは怠惰ではないのか。「その日限りの平和と反核」に便乗しすぎてはいないか。

オバマの演説は「過ちは繰返しませぬから」に主語を与えるものではなかった。そこに飛び交ったのは主語を確定させないためのレトリックである。むしろ、強い想いが投影されたレトリックだ、「上手い！」と感嘆し、「日本の政治家もこれくらいのスピーチ力がないと」と国際派を気取るツイートがいくつも流れてきたが、強い想いがレトリックではぐらかされてしまったと解釈するのが国際派の気取り方ではないのか。物事を断言するのではなく、断言しないために複数のレトリックを積み上げることで、文章として繋げた時に常に輪郭がぼやけるテキスト作りを心がけていた。「オレは過ちを繰り返しますから！」と主張しているに等しい大統領が闊歩する現在、あの日は何の意味を持ったのだろうか、と訝む。

演説で最も頻繁に使われたのが「われわれ」という言葉。翌日、新聞に掲載された全文をもとにカウントしてみると、実に39回も「We」が使われている。漏れなく「We＝われわれ」が用いられているならば、その「われわれ」とはもはや「私」であって、私の想いが色濃く反映されているとの見方もあるだろうが、「われわれ」とは別に「私」と訳される箇所が4回ほどある（訳は共同通信）。となれば、「われわれ」と「私」は異なる意図を持つ。

「私の国のように核を貯蔵している国々は」（Among those nations like my own that hold nuclear stockpiles）

「私が生きているうちにこの目標は達成できないかもしれないが」（We may not realize this goal in my lifetime,）

「私の国は単純な言葉で始まった」(My own nation's story began with simple words)
「普通の人々はこれを理解すると私は思う」(Ordinary people understand this, I think.)

幾度の推敲が重ねられたスピーチは、複数と単数の使い分けをした上で、ごく限られた箇所だけ、自分自身であることが強調された。とりわけ、4番目の事例、「普通の人々はこれを理解すると私は思う」は不可思議な話法に思える。この前の部分ではとにかく「われわれ」が連呼されていた。訳文を引用してみる（傍点引用者）。

「だからこそ、われわれは広島に来たのだ。われわれが愛する人々のことを考えられるように。子どもたちの朝一番の笑顔のことを考えられるように。台所のテーブル越しに、妻や夫と優しく触れ合うことを考えられるように。父や母が心地よく抱き締めてくれることを考えられるように。われわれがこうしたことを考えるとき71年前にもここで同じように貴重な時間があったことを思い起こすことができる。亡くなった人々はわれわれと同じだ」

この後に「普通の人々はこれを理解すると私は思う」と続く。このとき、「われわれ」とは誰なのだ。「われわれ」を並べ、「私」が理解するのではなく、「普通の人々」は理解してくれると「私」は思っていますよ、とする。クドい。クドいのに間接的。オマエは一体誰なのか。誰になりたいのか。「われわれ」とは「私」ではないようなのだが、迂回なのか周回なのか、とにかく曖昧にしておきながら、「われわれ」と

「私」を混ぜこぜにして、近しいものにする。でも、しっかり分けている。「われわれ」の範囲をその都度自由気ままに動かしていく。「われわれ」がアメリカになったり、世界になったり、今を生きる人たちになったり、自由に変転していく。そのギアチェンジを握るのが、アメリカの大統領を務めるということなのか。スローガンの強度を作り出すのは述語にあり、と教えてくれたのは、「Change」の連呼で大統領の座を得たオバマだったが、皮肉を込めるならば、広島訪問は、述語の強度ではなく主語のはぐらかしが「名スピーチ」を生むことを教えてくれた。そして、主体の不在で共感を呼び寄せる様は、実にジャパニーズ的、親日的であった。

主語のはぐらかしによる「レガシーづくり」（前出・堀川氏）が98％という数値を作り上げたならば、それに続く安倍首相の所感はどうであったか。

こちらもまた、「私」「私たち」「全ての人々」「全ての日本国民」と、その都度、最適と思しき主語を駆使していた。オバマの広島訪問については「広島の人々のみならず、全ての日本国民が待ち望んだ」とし、その機会を生み出したのは、「私」が前年、アメリカの上下両院の合同会議でスピーチをおこない、「米国の全ての人々の魂に常《とこ》しえの哀悼をささげ」、「日米両国、全ての人々に感謝と尊敬の念を表した」からなのだと、「私」の功績を強調する。こんなときだけほとばしる「私」。その上で、「私」

と「全て」の間ともいえる「私たち」を2回ばかし使う。

「この痛切な思いをしっかりと受け継いでいくことが、今を生きる私たちの責任だ」

「世界の平和と繁栄に力を尽くす。それが今を生きる私たちの責任だ」

どうしてか、功績を強調するときには「私」で、責任を背負うときだけ「私たち」なのである。2015年のアメリカ議会での「私」の演説を振り返ってみると、国会での本格的な議論が始まる前だというのに、「日本はいま、安保法制の充実に取り組んでいます。（中略）戦後、初めての大改革です。この夏までに、成就させます」と誓ってしまい、当然、国会軽視だと突っ込まれてしまう。しかしながら、いやぁもうあそこで誓って喝采を浴びてきたんですよ、という既成事実は、政権運営の拠り所にもなった。社長に頑張れって言われてきたんだから今さら文句言うなよと、部下を退ける部長みたいな言い分。

広島では責任を共にする以外には使わなかった「私たち」だが、アメリカ議会のスピーチでは「we」「us」「our」を頻繁に使っていた。ねぇ皆さん、仲間になってくれますよね、という確認作業に使われる複数形。オレたちって、一緒っすよね。

「米国国民を代表する皆様。私たちの同盟を、『希望の同盟』と呼びましょう。アメリカと日本、力を合わせ、世界をもっとはるかに良い場所にしていこうではありませんか。希望の同盟。一緒でなら、きっとできます。」（Let the two of us, America and

Japan, join our hands together and do our best to make the world a better, a much better, place to live. Alliance of hope... Together, we can make a difference.)
「私たち」で近寄ったのがアメリカ議会での演説ならば、「私」の功績を訴えたのが広島での演説である。無論、本人が記したわけではなく本人はいつものように朗読しただだけれど、明確に住み分けが意識された文章である。「われわれ」と「私」と「全ての人々」は、どれも自分の主語として集積させることができるが、こうして使い分けることで、それぞれの意図や責任を操縦し、賞賛を独り占めし、リスクを分散させることができる。

オバマ大統領の広島訪問自体が画期的であったことは間違いないけれど、98%が褒め称えるほど、切実な言動だったとは思えない。推敲を重ねた、あるいは重ねすぎた日米両首脳の演説は、「アメリカが広島に原爆を投下した」という確固たる事実をなぜか迂回し、迂回する過程で、受け止める側にエモーショナルに訴えかけようとする意図を感じた。オバマが来日する少し前に発覚した、沖縄での元米軍属による殺人・死体遺棄事件や、その後に起きた米軍兵による飲酒運転事故は、お得意の「遺憾」の表明で済ませ、大波をさざ波だと言い張って記憶から消してしまった。アメリカの軍用機が墜落し炎上しても、メディアは「不時着」と記し、日本政府は原因究明されるまで飛行禁止を求め、ひとまず応じたアメリカは数日後にのらりくらりと飛行を開始させる。この繰り返しだ。米軍基地そばの小学校に米軍のヘリから７・７kgもある窓枠が落下すると、検証もせずに窓枠を米軍に返却してしまった。こうして住民が置いてけぼりにされている。日本政府は、ってかおまえら言うこと聞けよ、と沖縄県への振興費を減らし続ける。

一体、「われわれ」とは誰なのであろうか。

一世一代のセレモニーが巧妙に作り出した「情」が、素直に稼働してしまう。綿密に練られた演説をもうちょっと懐疑的に見つめるべきではなかったか。オバマの演説はＣＤブックになってたちまち書店店頭を席巻したが、書店店頭が「永続敗戦」と化す姿は心地よいものではない。オバマは原爆資料館に10分間だけ立ち寄り、折り紙で鶴を折った。マスコミをシャットアウトし、後々「実はオバマ大統領は鶴を折ったのです」と、「深イイ話」として共有させられることについて、あらかじめ用意されたストーリーに従ってはいまいかと、当たり前の疑いを打ち出してみるべきだろう。「画期的です」と喧伝された訪問に「画期的！」との叫びだけが聞こえた。どんなアンケートだろうが98％という数値が叩き出されるのは極めて珍しい。ならば、これほどの成功もないのだろうけれど、発言を少しほじくるだけで、２人の「私」は何も誓っていないことがわかる。何ら約束をしていない。だってもうすぐ辞めるって決まってるし。約束なんかできるはずない。意気込みのアクセルだけがドラマチックにふかされていた。折り鶴外交の虚無を突くように、今ではゴルフ外交（それにしても、安倍首相が自らその言い方をしてくるのには驚く）に励む日本に対して「wish you were here（あなたがここにいてほしい）」との折り鶴が置かれている。

「過ちは繰り返しませぬから」の主語は、依然としてあやふやなままだ。演説で使われていた「われわれ」という主語は、間違いなく回避に使われていた。迎え入れる側は、そうやって主語をぼかされたことを認知していたし、理解していた。そんな「We」を、素直に「自分たち」に変換できてしまう私たちが、私は心地悪い。

＊ドナルド・トランプがアメリカを、そして世界を攪乱した4年間がようやく終わったが、その4年間がやってくる前、大統領を辞める直前にバラク・オバマが被爆地・広島を訪問した事実は、正直、現時点では大きな意味を持ち得ていない。

アメリカの「核の傘」に率先して守られたがる日本は、相変わらず、核兵器禁止条約への参加を拒んでいる。98・0％が「よかった」と答えたオバマ訪問は、果たして本当に「よかった」のだろうか。仮に「よかった」のだとして、で、その後、何がどうなったのだろう。トランプの傍若無人がようやく終わると、これで平穏が戻ってくる、との総括も目立ったが、彼が登場する前の日米関係は、果たして建設的なものだっただろうか。新型コロナ対応の中で、たとえば、沖縄の基地問題はないがしろにされた。いつのまにかアメリカ経由の事案と化した北朝鮮拉致問題は一切動かなかった。どうにかしてアメリカの上機嫌を保つという命題だけが継続され、「われわれ」は相変わらず、都合よく、あたかも国民の総意であるかのように用いられる。背負うのは好きなのだが、背負った上で何をするわけでもないのである。

あいつがテロリストかもしれないよね

パリの南東部にあるリヨン駅は、リヨン方面に向かう始点となる駅。つまり、「そっちへ向かう列車だから」という理由で東京都内に名古屋駅が存在しているような煩わしさがある、という説明は更なる混乱を招くだけかもしれない。フォンテーヌブローに住む知人の元へ行くことになったのだが、指定の列車が発車する30分も前に駅に着いたので、構内にあるレストラン「ル・トラン・ブルー」に入ってみる。フレスコ画がいたるところに飾られたこの場所は映画『ニキータ』の撮影でも使用されたというが、映画のセットにも使われた格調を維持しようと慎重になっている態度がむしろ映画のセットみたいで逆にチープかも、などと同行者の旅情を剝ぎ取るようなことを吐き出して反感を買っていると、聞き覚えのある「3音」が耳に入る。フランス国有鉄道（SNCF）のジングルだ。

ピンク・フロイドのデヴィッド・ギルモアは、2015年にリリースしたソロ作『飛翔』の「ラトル・ザット・ロック～自由への飛翔」のイントロに、SNCFのジングルを使っている。乗車を促すテンションとは到底思えない、どことなく人を不穏な心地にさせる、冷気が舞い込むような3音。エクス・サン・プロヴァンス駅でこの音を聞き、たいそう気に入ったギルモアは、旧型のiPhoneを取り出し、5分ほどスピーカーにそれを向け、アナウンス音を録音したという。このジングルを作ったミシエル・ブーメンディルは、シャルル・ド・ゴール空港や、ミシュランやソシエテ・ジェネラルなどのオーディオ・アイデンティティ（場所やブランドが展開する音作りをプロデュース）を担う、短い音をつかさどる才気。フランスの隠れた国民的音楽家なのだという。

この曲を作詞しているのは、ギルモアの妻であるポリー・サムソン。「錠を揺さぶり　お前を縛るものから逃れろ」と繰り返し歌うその背景には、2010年、ポリーの連れ子が学費値上げ反対デモに参加し逮捕された経験が反映されている。ロンドンの戦没者記念碑の国旗にぶら下がって逮捕された息子。ギルモアはこのアルバムについて、政治的な面もあると言及し、「イギリスやその他の多くの国」と前置きしつつ、

「政府にあまりにもコントロールされている。(中略) 自分の意見を声高に言ったり、何かに対して抗議したりとか、今までは許可されていて、これからも許可されるべきものに対して (中略) 人々に立ち上がる勇気を与えようとする歌」だと位置づけた(『rockin'on』2015年11月号)。

同じくピンク・フロイドのロジャー・ウォーターズは、2017年、25年ぶりにソロアルバムをリリース、そのタイトルは『イズ・ディス・ザ・ライフ・ウィ・リアリー・ウォント?』(これは我々が本当に望んだ人生なのか?)。アルバム発表後のツアーでは、ドナルド・トランプの顔が胴体に描かれた巨大な豚の気球を会場に飛ばし、ライブの最後には、「抵抗せよ」と書かれた紙吹雪を撒いた。日本では未だに「音楽に政治を持ち込むな」という浅はかな議論が浮上する。サザンオールスターズの桑田佳祐を思い起こせば、ライブのステージ上で紫綬褒章のメダルを小道具のように扱い、また、紅白歌合戦でヒトラーを彷彿とさせるチョビヒゲを使ったことに非難が殺到、事務所の前に街宣車がやってくると、すぐさま謝罪してしまった。謝罪文には「紅白歌合戦に出演させて頂いた折のつけ髭は、お客様に楽しんで頂ければという意図であり、他意は全くございません」とある。あまりに情けない弁明である。他意しかなかったではないか。彼らがその前に「TOKYO VICTORY」という、明らかに東京五輪礼賛を意識した楽曲を作ったことにも違和感を覚えたが、この礼賛と謝罪を皆がスルーしたことにも驚いた。桑田や音楽メディアに問いたいのは、「これは我々が本当に望んだ人生なのか？」である。

・

2016年の年始にパリへ行った。15年に刊行した著書『紋切型社会』（朝日出版社）がBunkamuraドゥマゴ文学賞を受賞し、その本家である、パリのカフェ「ドゥマゴ」で行われる受賞パーティに顔を出すこととなったのだ。日本の文学賞ではホテルの一室などで行われた選考会の結果が受賞者に伝えられ、授賞式は別日に行われるのが通例だが、この賞では選考会の模様を皆で見届け、近くに待機している受賞者をカフェに呼び込むというスタイル。出迎え方がなかなか洒落ている。オーナーや選考委員が一斉にカフェのテラスに並び、横断歩道の向こうからやってくる受賞者を待ち構えるのだ。街の一角が祝福に包まれる。

そのわずか2カ月前に起きたパリ同時多発テロでは、多くのカフェやレストランが標的となった。テロリスト達が「パリの日常」を侮辱するために、効果的だと選び抜いたターゲットが、テラスに佇む人々だった。パリの人々は、その狙いに憤慨しながらも、テロ直後からわざわざカフェのテラス席に集い、SNSを通じて「Je suis en terrasse（私はテラスにいる）」と訴えた。カフェでの語らいを即座に取り戻すことは、恐怖におののいているわけではない、との態度表明となった。

オランド大統領（当時）は「テロが標的にしたのはフランスの理念、自由だ。だが、フランスは『自由の国』であり続ける。恐れに屈しない」と述べて（それにしても、首長は「屈しない」が好きだ。政治がもっとも避けることは「屈する」なのか）、令状なしの家宅捜索を可能とする国家非常事態法を改正し（どこかの国の政府はこれに倣うように「緊急事態条項」を憲法に盛り込みたがっている）、２５００件の捜索を行い、３００人近くの身柄を拘束した。

この釣果は、有事に動揺した中枢による「恐れに屈しない」の体現なのだろうが、「自由の国」であり続けるために市民たちの街頭行動を規制し、テレビは空爆へ向かう戦闘機ばかりを放送し、「視聴者に『戦争酔い』と『イスラムフォビア（イスラム嫌い）』をまき散らし」たのである（東京新聞・２０１６年2月2日朝刊）。「Je suis en terrasse」は、そういう〝フォビア〟とは異なる、自由を希求する行動だった。

パリへ降り立った日の夜遅く、早速街へ繰り出すと、このすぐ近くにテロ現場があるという。「凶悪事件の容疑者が移送されてきた警察署の前でカメラに向かってピースしてはしゃぐ若者たち」って最近見かけなくなったが、「そうか、近くにテロ現場があるのか」とデジカメ片手にスタスタ出かけていくこちらの動機は、実際のところ、アレとそんなに変わらない。極めて不純だ。

バスティーユから程近いシャロンヌ通りに、ビストロ「ベレキップ」がある。襲撃された店舗はベニヤ板で封鎖されていたが、その隣にある、中華料理屋のエッセンスをインテリアに多分に混ぜ込んでしまった寿司屋には、まばらながら人が入っている。この店先に車を寄せたテロリストは１００発ほど乱射し、19人もの死者が生じた。沢山の花束が置かれているが、ただただ人気がないだけのように見える寿司屋を除けば、「わざわざ近くで食事をしてやろう」と意気込むかのように通りのどの店も漏れなく混み合っている。「テロに屈しない」という強気を、時の政府が持っていきたい方向へ運ぶための手段として用いるのは仏日に共通しているが、敢えてテラスに戻ってやろうじゃないかという連帯は、確かにテロに屈してはいなかった。

街中では、銃をぶら下げた兵士がそこらじゅうを歩いている。早朝、エッフェル塔を歩けば、向こうから３人の軍人が均等間隔で横並びに歩いてくる。こちらからは修学旅行中の学生達が整列して歩いていく。とっても違和感のある「花いちもんめ」が、観光名所で繰り広げられている。

テロ直後の映像もさることながら、その数日後、犠牲者を追悼するミサがおこなわれている最中に爆発音らしき音がしたとの情報を受けて（誤報だった）、逃げ惑うパリの人々、あの映像が頭に焼き付いている。「屈しない」との態度、「Je suis en terrasse（私はテラスにいる）」という主張が、やっぱり突発的な事象で崩れてしまう。

テロの前と比べてどれほど張り詰めているのかは、初めてパリを訪れた自分には判別できないけれど、在仏者は「変わった」とつぶやいていた。帰国する日、パリ郊外にあるディズニーランド・パリのホテルで拳銃2丁とコーランのコピーを持った男が逮捕された。「護身用に持っていた」という供述は納得できるものではないが、こういった一報で空気は一気に変わる。空気が引き締まる。皆が、何かが起きるのではないかと、気配をまさぐっている。帰国後、「テロ首謀者の仲間約90人がパリ周辺にいる」との証言を仏メディアが報じたことを知る。こうして緊張は引き延ばされていく。

セーヌ左岸、ノートルダム寺院と向かい合う場所にあるのが、シェイクスピア&カンパニー書店。現店舗は2代目だが、創業時から「反骨の書店」と知られ今もその意志を引き継いでいる。創業者のシルヴィア・ビーチは「ジェイムズ・ジョイスの『ユリシーズ』の草稿がスキャンダラスで煽情的であるとして次々に出版社から拒否されたとき、親しかったジョイスのために出版資金を調達した」(ジェレミー・マーサー『シェイクスピア&カンパニー書店の優しき日々』河出書房新社)。ナチスがパリを占領した1941年に閉店を余儀なくされたとき、ナチの将校に『フィネガンズ・ウェイク』の最後の一冊を売ることを拒否した、というエピソードもある。

閉店した書店を51年に改めてオープンさせたのが、はみ出し者のアメリカ人、ジョージ・ホイットマンだった。書店としての機能だけではなく、売れない物書きや旅人達を受け入れ、食事や寝床を提供する場として書店を開放した。結果的に、自分と同じ臭いのするはみ出し者ばかりが住みつく書店となった。ホイットマンはとにかく誰でも彼でも引き受けていた。店内を覗くと、迷路のように入り組み、隠し小部屋のような執筆スペース、２階の奥にはひっそりと図書館が広がっている。見上げればそこに、店のスローガンが目に入る。「BE NOT INHOSPITABLE TO STRANGERS LEST THEY BE ANGELS IN DISGUISE」。見知らぬ人に冷たくしてはいけない、変装した天使かもしれないから。ジョージがこの書店の立場を明確にするために掲げた一言である。誰だって受け入れる、との姿勢が、ここから生まれる文化を豊穣にしてきた。

見知らぬ人は変装したテロリストかもしれない、という気配は、じわじわ広がっている。１週間足らずの滞在にもかかわらず、この辺りは移民が多い地域だからあまり行かないほうが、との言葉を何度か耳にする。古くからのユダヤ人街が広がる、マレ地区にあるロジエ通りを歩く。銃をぶら下げた兵士の数が露骨に増える。街にある学校の前では、屈強な兵士が常駐する。その向かいにある流行りのエクレア屋の前からは、食べ歩きを始めようとする観光客が次々と吐き出されてくるが、その模様を兵士が凝視している。聞けば、この辺りで、テロの準備をしている人たちがうろついている、との根拠に乏しい噂も立ったのだという。でも、人は、話題のエクレアを食べにくる。エクレアを食べにくるけれど、向かいでは、ユダヤ街にある学校という理由で、厳しい警備体制が敷かれる。日常を取り戻した、とは言えない。そもそも、日常とは何か。

別の日、地下鉄のホームへ向かおうと自動改札を過ぎた辺りで、怒声が聞こえる。周囲の人が瞬間的に体を引いているのが見える。一目散に逃げられる体勢を作っている。ある人がカバンから落としたガムテープを、浮浪者のような出で立ちの男が拾い上げて逃げようとしたのだ。大きな声を上げられたことに驚いたのか、その男はその場にガムテープを置いて逃げていった。街中で生じる不測の事態に対し、一瞬にして緊張が走る。さほど治安の良くない地下鉄に揺られていると、乗り込んでくる人を見ながら付け焼き刃の警戒心を稼働させ、適当に判別し、この人たちはもしかしたらもしかするのではないかという雑念を用意したままになる。

移民を受け入れるなんて当然だろう、そもそも現在の荒れた中東情勢を作り上げたのはアメリカおよび欧州の結託が元凶なんだから、とあちこちから借りてきただけの持論は、テロから間もないパリの地下鉄に飲み込まれると、あいつがテロリストかもしれないよね、との思い込みに即座に負ける。テロ直後、地下鉄駅の監視カメラには、主犯格アブデルハミド・アバウド容疑者が映っていた。見知らぬ人に冷たくしてはいけない、変装した天使かもしれないから、というホイットマンの精神が「いや、こうなったら、それどころじゃねぇよ」とのムードにかき消される。相対する人をそれぞれ小さく疑い続けた自分は、そういうムードにしっかり加担してきたことになる。その加担は、国の行方を大きな情感で動かそうと画策した側にとっての潤滑油にもなる。その加担はもはや〝フォビア〟の一種と言っていい。ギルモアの言う「あまりにもコントロールされている」状態は、こういう小さな餌撒きによって強化されていく。

＊シェイクスピア&カンパニー書店が、新型コロナウイルスの影響を受けて、閉鎖の危機を迎えている、とのニュースを見かけた。ロックダウンが長期化し、不要不急とはいえないと判断されがちな文化産業が深刻なダメージを受けたのは、どの国も変わらない。不寛容な社会は、個々の視野が狭まった時に生まれやすい。文化事業がないがしろにされる様子は、その視野の狭さを伝えるかのようだった。今はそれどころではない、そんなものは余裕がある時にやるべきことだと、とにかく乱雑に追いやられた文化の今後を気にとめたい。軽々しく用いられるようにもなった「多様性」という言葉が、有事には平然と後回しにされてしまったと痛感するコロナ禍だが、この状態をそのまま未来に運んではならない。

悲しみをとどめる

東日本大震災の発生から丸5年が経過するその日、地震発生時刻14時46分の5分ほど前に、自宅マンション近くにある児童館から「そろそろじゃねー?」「だねー!」と子どもたちの賑やかな声が聞こえてくる。この児童館からこぼれてくる声には、日々、突飛なやりとりが含まれている。彼らの会話は、予想し得ないところへ飛んでいくのが興味深い。日頃の大人の会話が、いかに予想通りのところで落ち着いているのかを伝えてもくれる。

映画監督・作家の森達也が橋下徹・前大阪市長と対談した時、麻原彰晃死刑囚に対する精神鑑定の必要性が「詐病だ」と片される風潮に異議申し立てた森に対し、橋下は「いろいろあったけれど、今ここにきて、オウム事件の解決方法としては、まあ収まりのいいところに収まった」と発言したという(森達也『FAKEな平成史』KADOKAWA)。大人は、予想通りにはいかなかった物事を、こうして処理する。収まるべきところに収まったよね、と理解する。とにかく、落としどころ、が大好き。

落としたくてたまらない。思えば3・11以後のあれこれは、「未曾有の事態」だったから大変だったけど、こんな感じで落ち着かせてみました、が蔓延《はびこ》っている。復興大臣が「東北でよかった」と放言できてしまうのは、収めるべきところに収めようとするのがオレたちの仕事、と大きな勘違いを続けている、その最悪の途中経過を露わにしていた。

子どもたちは、いつもとは異なる「黙禱」というコンテンツを、それなりに興奮しつつ今か今かと待ち構えている。箸が転がっても面白い年齢は、1分間じっと目を閉じることもまた、特別な体験になる。とにかく黙禱に積極的。45分になると、地域全体に向けての放送が始まる。「間もなく、東日本大震災の発生から、5年が経過します。多くの方々が亡くなられたことを追悼し、46分からの1分間、黙禱を捧げましょう」。あちこちで動きが止まり、静まっていく。

目を閉じてから20秒ほどだろうか、近くの家の掃除機がけたたましく動き始める。床用ノズルで部屋の隅にある細かなゴミを吸い取っているのだろうか、ノズルをゴリゴリ押し当てているような音が聞こえてくる。普段ならば聞こえない音かもしれないが、こちとら黙禱中、46分の静寂の中では大きく響いてしまう。しばらく掃除機の音が続き、かぶさるようにして「黙禱を終わります」とのアナウンスが流れた。

掃除機の音が止んだのは、48分か49分くらいのこと。隣室には来客がやってきたようだ。すぐに要件が終わったようなので何かの売り込みかもしれないと構えていたら、やっぱり我が家にもやってきた。近くに住んでいる公明党の支持者らしく、今、アンケートを配布しているのでご協力願いたいという。黙禱を終えて、わずか数分後のことである。

その場でアンケートに答えさせようとしたが、ひとまず受け取りますね、とドアを閉め、アンケート用紙を通読する。「国民の皆さまの声を政治に反映し、『軽減税率』『携帯電話』『高額療養費制度』など、生活に密着した政策を公明党は実現してきました」。公明党を「とりあえず自民党を牽制する役割を果たしながら、最後に譲歩して自民党からめっちゃ褒められることを繰り返している党」との判断を下している自分には、「生活に密着」の部分からして賛同できないのだが、とにかく「皆さまのご意見をぜひお聞かせください」とある。配っている支持者というか支持母体は、本当に公明党の「生活に密着」に賛同できているのだろうか。アンケート用紙に記されていた公明党のスローガンはこうだ。「小さな声を、聴く力。」。アンケートを配布する人にも事情があったとは思うけれど、14時46分から3分過ぎた49分に、「小さな声を、聴く力。」と掲げたチラシを配っても説得力には欠ける。シュールですらある。政治手法を考えれば「なんだかんだで、大きな声を、支える力。」が似合いますよね。そんな皮肉を14時49分の後ろ姿を思い出しながら投げたくなってしまう。

　街中のおおよそが黙禱しているにもかかわらず、14時46分20秒から掃除機をかけてしまう住民を、咎める気にはならない。黙禱してもいいし、別に黙禱しなくてもいい。その時に黙禱しなかったからといって、追悼する気持ちがないわけでもないし、黙禱した人のほうが、黙禱しなかった人よりも云々、といった比較はナンセンスである。度合いを測る場面ではない。とはいえ、そんな気持ちに落ち着いたのは、後々になってから。黙禱している最中に聞こえ始めた掃除機の音に対しては、なんでこんな時に掃除機かけんだよ、馬鹿やろう、空気読め、恥知らずと、脳内でさほど面白みのない乱暴な言葉をいくつも並べていた。充満した乱暴な言葉に感情を持っていかれて、ついい、黙禱を途中で止めてしまった。

　毎年、「この日だけ震災を思い出すなんて都合が良すぎやしないか」という意見を「この日だけ」見かける。その一方で、こういう日に何も言及しないほうが失礼だと主張する人がいる。どちらが正解、というわけではない。たとえば一昨日の晩ご飯がちっとも思い出せないように、人は色々なことを忘れていく生き物なのだから、誰かに与えられたきっかけでようやく記憶を蘇らせることを恥じらうべきではない。どんな人の頭も都合良くできている。とりわけ忘却のスイッチは発達を続ける。あれだけの惨事や事故を受けても、すっかり忘れようとする。今日で丸5年という事実を忘れたままにしている掃除機の住民は決して非道な人間ではないはずだが、こっちが押し並べて黙禱を始めている時に掃除を開始した住民は、どうしても瞬く間に非道な人と思われてしまう。こいつ許せない、と思ってしまう。

福島原発はコントロールできている、という、たちまちバレる大ボラを吹いて東京五輪を呼び寄せた宰相などはその言動を逐一問われるべきだが、震災から5年という事実をすっかり忘れて掃除機をかけ始める人は、その行動を許容されるべきだ。一方で、14時48分の政治活動（と言って構わないだろう）としてアンケートを配る行為は、やっぱり慎むべきだと思う。

3・11の日になると、どの媒体を見ても、「今でも」「ようやく」「あの日」といった言葉だけが用意され、主語がいまいち不明瞭なまま「忘れない」で締めくくられるフレーズが溢れる。だいぶ極端に言えば、「忘れてしまっても仕方がない」も含めて、様々な話者から、バリエーションを提出することが「忘れない」の主語や範囲や強度を維持することに繋がると思うのだが、どうしても簡易的な「忘れない」に吸い寄せられていく。

２０１６年３月11日の夜、糸井重里がＮＨＫの生放送番組『特集　明日へ』に出演、その番組内での発言が喝采を浴びた。津波の被害に遭った地域でウニの栽培をしている様子を、おとなしくさびしげな曲調のピアノのメロディーで紹介。そこに、「ウニの子ども、稚ウニの栽培施設が全壊、600万個が流出しました。その栽培施設は、いち早く復旧。ウニの漁獲量も震災前の8割程度まで回復しています」とのナレーションが入った。

　番組を観ていたものの、録画していたわけではなく正確に引けないので、発言部分はハフィントンポストの記事から引用するが、その映像とナレーションを受けて、糸井はこのように言った。

「変なことを言うようだけど、この音楽で、8割が復興したという話をされても、2割の悲しみしか伝わってこない。悪いけど、こういう撮り方は、地元の人はやめてくれと言っている。ナレーションにしても、（暗いトーンではなく）普通に言えることがあると思う」（傍点引用者）

「5年経って、（町の人が）この街を撮ってくれって言ったときに、こうはならないと思うんですよね。もちろん、悲しい部分は残っている。まだまだの部分は残っているんだけど。3月11日の追悼の日だから祈る気持ちがあるけれど、全部をその文脈に入れてしまったら、『ここまで来た』と喜んでいる人たちの表情が見えてこないんじゃないかな」

ＳＮＳを覗くと、多くの人がこの発言を「よくぞ言ってくれた」と絶賛し、こんな時だけ被災地に思いを寄せるマスコミの姿勢に憤っていた。あらゆる報道には思惑があり、その思惑に持ち込むために、ＢＧＭやナレーションの方向性を定めていく。曇り空の映像にボサノバをかぶせるのと、デスメタルをかぶせるのでは、曇り空への印象が変わる。あの音楽にあのナレーションだったのは、特別なこの日をどう感じてもらうかを考慮した結果だったのだろう。姑息だとは思うけれど、この姑息を排すのは難しいとも思う。姑息を指摘するだけで済むものではない。

批評家・若松英輔が同じ日にこのようなツイートをしている。何度か繰り返し読んだ。繰り返し読み、どちらかを選ぶべきではないと思いながらも、つい、こちらを信頼した。

「泣いてばかりいないで顔をあげろという者の言葉を信用してはならない。人は、自ら歩く道を舌で舐めるような辛酸のなかに永年探しているものを見出すことがある。悲しみは情愛の泉である。それればかりか叡知の門でもある。人生には、悲しみを通じてしか知ることのできない、いくつかの重大なことがある」

地域の人を十把《じっぱ》一絡《ひとから》げにするように、悲しいＢＧＭを使い、喜んでいる表情を消してはいけない。そう思う。でも、それと同じように、「こういう撮り方は、地元の人はやめてくれと言っている」と一色にしてもいけない。地元の人はやめてくれ、とは一体誰のことか。報道は、常に持っていきたい方向を定めて、話を持ち運んでいく。急いで最適解を探す。割としょっちゅう間違える。無自覚に、どういうテンションが、どういう内容がウケるかを探してしまう。マスコミへの不信感があちこちで高まっている今、「当事者の気持ちを考えようよ」という当事者周辺の言質は、非当事者の集まりのなかで信頼される。糸井が何度も被災地へ行き、具体的な取り組みを重ねていることもその信頼を高めるのだろう。

被災地に限らず、どんな括りで人を集めても、元気な人がいれば、元気じゃない人もいる。笑っている人がいて、泣いている人がいる。その割合を正確に把握することは絶対にできない。どんなに精密な統計でも、統計からこぼれてくる人が出てくる。あらゆる集団は常に流動的で不安定なのだから、その中を「ハッピー」の一色に仕上げると、ハッピーではない人もいるのだからと叩かれる。かといって「アンハッピー」の一色に仕上げると、ハッピーな人もいるのだからと叩かれる。どちらも間違っていないが、どちらも正解にはならない。

叩かれるのが嫌だから、ちゃんと考えていますよ、とシリアスに仕上げておく。NHKの映像の作られ方は、そういう安全パイを選びとっているように思えた。だから糸井の指摘自体には納得する。でも、「こういう撮り方は、地元の人はやめてくれと言っている」との声によって、なかなか可視化されない2割の悲しみが消されることにもなる。この日くらいはシリアスに寄り添ってみようじゃないかという、好都合かもしれない感情は、この日以外忘れている「忘れない」の主語は「私」なのだと用意し直すことにもつながる。

震災復興と原発問題を同義にするな、という突っ込みを先んじて予測しておくが、「東日本大震災五周年追悼式」で天皇陛下と安倍首相は、それぞれ「原発」をどのように語ったか。

天皇陛下はこう述べている。

「地震、津波に続き、原子力発電所の事故が発生し、放射能汚染のため、多くの人々が避難生活を余儀なくされました。事態の改善のために努力が続けられていますが、今なお、自らの家に帰還できないでいる人々を思うと心が痛みます」

安倍首相はこう述べている。

「被災地では、未だに、多くの方々が不自由な生活を送られています。原発事故のために、住み慣れた土地に戻れない方々も数多くおられます。被災地に足を運ぶ度、『まだ災害は続いている』、そのことを実感いたします。その中で、一歩ずつではありますが、復興は確実に前進しています」

前者からは悲しみをとどめる意識を感じ、後者からは前を向く意識を感じる。どちらも大切だし、決して相反する考え方ではない。前者にすがるつもりもない。というか、双方は入り混じっている。震災以降、個々人がその双方を同居させながら、バランスを模索し、思いあぐね、正しいバランスなんてものを見出す事ができずに、頭のなかでぐるんぐるんさせてきた。当事者だけではなく、非当事者も同じようにぐるんぐるんさせてきた。そういう時に、ポジティブな方向付けは力を持ちやすい。でも、被災直後がそうだったように、「立ち上がろう」とか「前を向こう」という声は、プレッシャーにも転化する。

年が経つにつれ、「立ち上がった」や「前を向いている」という状況把握が、知らぬ間にデフォルトになってきた。マスコミが暗めの伝え方をすれば、〝マスゴミ〟が風評被害を作り出しているといった声が寄り集まる。ネットでは〝放射脳〟なる言い草が議論を停止させる。メディアは恒例行事のようにこの時期だけ被災地に入り、「まだまだそうはいっても」の声を拾い上げて、暗めの編集で興味を惹き付ける。「こういうときだけ」という声がかぶさる。しばらくこういう手つきが繰り返されるのだろう。

一つの最適解を探そうとすること自体が健全だと思えない。たとえば震災から5年の日、一日中パソコンの前で原稿を書いていたが、あのたった数分だけを引っこ抜いても、児童館から聞こえる子どもたちが黙禱に興奮している様子を微笑ましく思い、追悼中に掃除機をかけ始めた住民に対して憤り、その後理解し、直後にアンケートを配りにやってきた公明党支持者に気分を害した。その夜には、「帰還できないでいる人々を思うと心が痛みます」と「復興は確実に前進しています」との語りを比べた。家にいるだけでも色々ある。テレビを見て、皆に絶賛されていた「こういう撮り方は、地元の人はやめてくれと言っている」にどうも納得がいかなかった。こうして、毎日のように、私たちは頭をいくらでも揺さぶられている。

「こういう態度で臨むべきではないか」というサンプルが、影響力を持つ人から提示されると、どうしてもそっちに列を成してしまう。前を向いている人もいれば、前を向けない人もいる。楽しそうに黙禱する子どもがいれば、いつも通り掃除機をかける人がいる。この選択肢、それぞれが正しい。「これはおかしいでしょう、僕はこう思う」が、「うーん、それはどうかな?」と問われることで静かに潰されていくムードを、歓待すべきではないと思う。悲しみをとどめるために、戸惑ったままではいけないのだろうか。その戸惑いは「小さな声を、聴く力。」にも繋がると思っている。

＊2021年は、東日本大震災から10年が経過した年となった。東日本大震災十周年追悼式の場で、菅首相は「復興の総仕上げ」という言葉を2回繰り返した。受け入れてはならない

言葉ではないか。具体的にどう使ったか。

「住まいの再建・復興まちづくりがおおむね完了するなど、復興の総仕上げの段階に入っています」

「福島の本格的な復興・再生、そして東北復興の総仕上げに、全力を尽くしてまいります」

政府主催の追悼式は、この10年目を迎えた今回を最後に終了し、「節目」なんて言葉があちこちで用いられた。今年3月11日の地震発生時刻14時46分、黙禱を促す放送が流れた後、黙禱したが、静寂は広がらなかった。建て替えている近所のマンション工事音が休まずに響き渡ったのだ。気づいていないだけかなと思いたかったが、その後もずっと工事は続いた。黙禱しながら、その工事音に耳のピントを合わせていると、そのまま1分間が経過した。翌月、福島原発から生じる処理水の海洋放出を決めた。これが総仕上げ、ということなのだろうか。

「笑われる」気配

今、私たちは、「お約束」を理解しすぎている。約束ではなくお約束。ダチョウ倶楽部の上島竜兵が熱湯風呂に落ちる。押すなよ、押すなよ、と2回繰り返し、3回目の「押すなよ」で残りの2人が押す。透明のアクリルの浴槽に落とされる前、あたかも、ピッチャーが「2アウト!」と味方の野手に知らせるために指を掲げるように、上島は頭の上に3本の指を出す。3回目で落とせ、という「お約束」だ。

出演者もスタッフも視聴者も、これから何が起こるのかを全て知っている。あらかじめディテールを共有していることによって、そのまま敢行された時に笑いが起きる。あるいは、横やりが入って違う方向に転がっても、そうやってズレてしまったことに対して笑いが生じる。上島本人のミスでそのディテールを崩してしまうと、本人がとても恥ずかしそうに笑う。こちらがこれから起こる事の全てを知っているのに、どうしてオマエがうまくやってくれないのか、と呆れながら、上島に対する優位性を保つ。でも、上島はそんな仕組みを熟知している。「笑わせる」と「笑われる」の根本的な違いを当然知っていて、知った上でその双方を混在させる。また竜ちゃんがくだらないことをやっているよ、という状況を繰り返し作るのは、上島が、「笑われる」ことを決して低いレベルに置かずに、「笑わせる」ことと等価に置いているからである。偉い人がサディスティックに命じ、偉くない人がマゾヒスティックに命じられる、そこで生まれるお笑いとは距離がある。

坂上忍という人が「毒舌」「タブーなし」という触れ込みで出ているのを見る度に

首を傾げるのだが、この人は現場の限界を自分で設定し、その限界ギリギリまで迫っていく自らの姿勢について、「ここまでいくのは相当ヤバいっしょ」と周囲に見せびらかす。しかし、ルール作りとプレイヤーが同じなのだから、そこにタブーなど生じるはずもない。むしろ、自分が「タブーなし」と言われるために、タブー視される事柄を増やしているだけではないのか。至って簡単な仕組みなのに、そこに突き進む姿勢を評価してしまう。繰り返すが、仕組みを作っているのは彼である。実にシンプルだ。

「笑われる」と「笑わせる」が混在している上島竜兵は、物事の始点から終点までに複数の可能性を含ませている。熱湯風呂にしてもおでんネタにしても、無事に出来る、無事に出来なかったという選択肢が3つも4つも立てつづけに重なれば、その「いつものネタ」には多くのバリエーションが生まれる。4つも重なれば、16通りにもなる。熱湯風呂に入る前、周囲の面々が「オレがやろうかな」と次々と手をあげ、「じゃあ、オレも」と上島が手を上げた時点で「どうぞどうぞ」と譲られ、上島がキレる。これがいつもの流れだが、時折、前フリとして手を上げたはずの人物がそのまま熱湯風呂に入ろうとする展開も用意され、そうすると、今にも泣きそうな、情けない顔をした上島が、ここはオレでしょうよと哀願する。その表情が笑いを生む。熱湯風呂に突っ込む時も、熱湯から出てあまりの熱さにキレる時も、その流れを寸断する要素が浮上する可能性が常に用意されている。いざ、いつものお約束が破られると、上島は「笑わせる」から「笑われる」ほうにシフトチェンジする。この変換の速度と正確性を軽んじてはいけない。タブーがないのはむしろこちらだ。

情けない顔をカメラに用意しながら、想定されていたルートとは別のルートで終点を目指していく。上島は、臨機応変に対応する事が出来ない、アドリブに弱い芸人とされがちだが、むしろ、その日の流れに準じて、率先してダメな存在になれるというのは、ケースバイケースで応対する力が強い証左ではないか。「ダメ」に落ち着く道をたくさん持っている。自ら法規を作り、自分で法規を打ち破っているだけの話者が「タブーを打ち破る」であるはずがない。それはタブーが表出しないように自己管理している人である。横道に逸れた時への柔軟性がない。一本道をダラダラ歩くか、猛スピードで走るかを選んだところで、それはあらかじめ用意されていた道である。横道に逸れると、キレることで潰す。最近、そういう毒舌の閉鎖性に苛立つ事が多い。

空気を読む、というのは、究極的には「笑われないようにしよう」である。こういう時にはこうするべきでしょう、こうする人が多いんだし、と大勢が集いやすい道に体を寄せていく。山口昌男は「文化というのは空気のようなものであると今日考えられている。それは、我々の周りに遍在するもので、我々は文化を特に有り難いとは思わないが、無ければ窒息してしまうものであるとも言えるのである」(『気配の時代』

筑摩書房）と書いている。空気というのは、その場に定着しているもの、馴染んでいるものだから、あらゆる過剰が消えずに残っているものは文化としては浸透しにくい。矛盾するのだけれど、私たちの中には、異物こそ面白いとの感覚は残っており、異物との接触が好奇心を刺激する。落ち着くべきところに落ち着きたい心情と、文化としての定着は果たして相反するのだろうか。

上島竜兵を面白くないと判別するのは自由だが、いつも同じことをやっていてつまらないと片付けるのは間違いである。彼は、複数のパターンからその日の最適を提示してくる。いつも突拍子も無いことを言う人って、実は同じ道の速度調整だけを見せているにすぎない可能性がある。そういった人は、その速度調整のテクニックが、一般人からのリスペクトを集めているにすぎないことを自覚しているはずである。坂上忍にしても、有吉弘行にしても、マツコ・デラックスにしても、世の中で毒舌と称される人のほとんどは、毒を吐いた直後に笑う。あの笑いは実に今っぽい行為だなと思う。毒突いているけれど、君の事を本気でいたぶろうとしているのではない、という意向を直後に伝える。今置かれている場を面白くするために、最大限強い言葉を投じてみたものの、その強い言葉は今だけの、あくまでも仮のものであって、こちらの真意ではないんですよ、そのことをわかってくれよな、という説明。そんな毒舌とやらにどれほど意味があるのだろう。

流れから逸脱することを、煙たがる世の中にある。あらゆる約束が遵守される事を望み、約束を、約束の範疇で壊そうとする話者を毒舌と呼ぶようになった。そのくせ、新しく生まれ変わりたいとする願望をいつまでも持ち続けているから、いつも同じ事をしている人の停滞を蔑むようになった。上島竜兵にしろ、柳沢慎吾にしろ、高田純次にしろ、あばれる君にしろ、自分が好んで見届ける芸能人は、いつも同じことをしている。同じことをする中で生まれてくるイレギュラーで、笑いのパターンを強化する。「笑わせる」と「笑われる」を柔軟に行き来する。

今、あらゆる文化の消費スピードがあがり、「流行りそう」「流行ってきた」「流行ってる」「もう流行ってない」がたちまち変転して終息していく。〝王様〟が〝ブランチ〟している時間などない。いやもう別に短期間の流行りで構わないんで、と空気を読み取りながら文化を粗造する人が多いものだから、奇抜さと、その奇抜さの管理だけで、新しい流行が作れるようになる。この安っぽいマーケティング精神が社会のそこかしこに侵入していく。速度だけを速めたクラシックな広告代理店的な作法に、改めて飼い馴らされている感覚はないか。

ダチョウ倶楽部には「カットしないでね、カットしないでね、カットしないでね」と連呼しながら立ち去ろうとするネタがある。あの連呼は、極めて示唆的である。自らの判断では何もできないことを伝える。でも、実際に私たちが「カットしないでね」と連呼する姿を見ているということはカットされていないわけであり、ああやって切望することで、主体を強奪している。「笑われる」行為を経て、笑いを奪い返していく。「代表作これといってなし」と言い切る彼らの佇まいは、今のお笑いの世界と相性が良いとは言えない。今のお笑いは、用意された主従関係の中で、笑いの最大化が求められるからである。その流れを外れて自分勝手に振る舞うと「空気読めや！」との声が聞こえ、そのツッコミの正当性を視聴者と確かめ合う。

その場に流れる空気をあらかじめ察知する能力、空気を読むための前段階である「気配」を見定める鍛錬が求められ、それこそが芸人としての評価に繋がっていく。空気読まない、気配読まない話者は限りなく少ない。イレギュラーな事象のそれぞれを「お約束」として管理しながら、空気で笑いを作る人たちは、安心しながらその場を運搬することができる。『ロンドンハーツ』や『アメトーーク！』で起きている笑いの多くは、司会者が「お約束」を管理することで生まれている。ひな壇芸人が振る舞いを間違え、「ここはこうだろうよ！」と突っ込まれている場面をよく見かけるが、あれこそ、空気と気配の行き来で笑いが起きる場面である。

なんだか、この世の中は、適応する力ばかりが問われている。適応できない状態を、すぐに「異常だ」と判別してくる。日々流れてくるメッセージが、いつだって適応を目指すものばかりになる。哲学者の國分功一郎が、脳性まひの当事者で研究者の熊谷晋一郎との対談の中で、「『意志』は精神的な力、『選択』は行為ですから」（熊谷晋一郎編『みんなの当事者研究』金剛出版）と言いつつ、意志を疑っている。「意志という謎めいた概念に依拠するのではなく、選択の概念に基づいて考えれば別様に捉えられるのではないか」とし、「当事者主権」と言われた時の「主権」という考え方に対して違和感を表明していく。

「自分で自分のことを決めるというのは、いったいどういうことなのか？　自分で自分を支配することは可能なのか？　主権は可能であるのか？」

そう、私たちはこの辺りに極めて鈍感で、鈍感を隠蔽するために、自己から湧く意志を愛ですぎる。意志を愛でるために、フラットでいることを目指す。いつだって空気を読もうとする。新しいものを提供しようとする役職は、空気の手前の、世の中の気配を察知する。文化が軽薄になっているとすれば、そういう仕組みにいくばくか原因はないか。

そこでは自分の言葉が失われる。偏向報道という覚えたての言葉を繰り返し投げて、どうだ、ぐうの音も出ないだろう、とドヤ顔で迫ってくる論客（？）がいるけれど、ある人がある素材を選ぶ時点で、すべての報道とは偏向しているもの。過剰にフラットでなければならないと要求される言語は窮屈である。ニュースに流れてくる言葉を「自己表出性」と「指示表出性」という言葉を使って説明したのは、玉木明『ニュース報道の言語論』（洋泉社）。「言語の全体を自己表出性の側面からみるときに言語の〈価値〉が、指示表出性の側面からみるときに言語の〈意味〉が醸成される」のであって、「ニュースの報道の言語はその自己表出性を可能なかぎり削ぎ落としてゼロ座標に近づけ、その指示表出性だけでその言語空間を構成することを理想としている言語の形態」としている。

何やら小難しいが、話者が価値を判別するのではなく、意味だけを伝え、フラットで、偏向していない見解を投じるのがニュースの言語であるという指摘。で、このニュース言語的な思考があちこちに充満し、価値よりも意味を取得することが、個々人の意志として通用しすぎているのが現在なのではないか。中立公正が、放送法云々ではなく、人の営みに侵入しまくっている。

ダチョウ倶楽部の「笑われる」には柔軟性がある。その柔軟さが方々に足りていない。お約束の中の強者が「タブーなし」を連呼すると、そこで生まれる文化はとても凡庸なものになる。それには、どこかへ迂回する可能性がないからだ。個人のギアチェンジだけに言動を握らせると、絶対的に平凡な方向へ帰着する。空気を管轄する人たちにとって、それが最も保身的で安直なシチュエーションであることに気付きたい。

空気や気配にがんじがらめにならず、逃げ回る可能性を模索するべきではないのか。逃げ回る価値を認めるべきではないのか。

＊とにかく中立でいよう、とする態度は引き続き強まっている。中立公正という四字熟語は、「中立とはなにか」と「公正とはなにか」という二つの熟議を経た上で使われるはずなのに、このところ、印籠のように「中立公正！」と力強く使われるようになっている。少なくとも、中立を決める人の中立性、公正を決める人の公正性を問わなければ中立も公正もないのだが、すっかり、議論を急いで閉じたい時に使える便利な言葉として用いられるようになった。そんなんで中立公正が確保できるんですか、という介入自体が、中立公正から遠いと思うのだが、もう何を聞いても、「中立公正！」としか返ってこない状態・人・組織があちこちに増殖している。

第2章　隷従する私たち

考えすぎだよ、と言われることが少なくない。考えなさすぎだよ、と思うのだけれど、考えすぎだよ、という投擲はなかなか強敵で、そんなことないよ、と返したり、今、こういうことが起きているんだよと例示してみても、いつまでも、考えすぎだよ、が通じるのだ。後の原稿でも触れているが、２０２０年東京五輪開催に反対する神戸大学・小笠原博毅が、国民の緩慢な態度として提示した「どうせやるなら」派のスタンスは日本社会に通底している。当初は批判的な見解を持っていたのにもかかわらず、せっかくの機会だし、と考えを改めていく「どうせやるなら」派。問題視していたはずが、いつの間にか、一緒に考えていこうとの流れに組み込まれていく。その流れを作っているのは誰なのか、と少しは考えないのか。共謀罪にしろ、マイナンバーにしろ、監視される社会が進み、あっ、でも、悪い事をしない限りは関係ないんで安心して、との甘言に頷く私たち。数多の介入を許し、隷従する。世の中の気配を察知し、自由を自由に奪える空気を作ろうとする働きかけがいくつもある。そんなものに従ってはいけない。国立競技場問題を追った長めのルポから入るが、「どうせやるなら」派になってはいまいか、との自戒と読者への挑発を込めた。

予測された混迷――ただ解体が進んだ国立競技場

この数年で、日本人はベタな談合をすっかり許すようになってしまった。まぁ、そういうこともあるでしょう、と寛容になっている。なぜ寛容になるのだろうか。なに許しちゃってんだろう、と思うのだが、なに怒っちゃってんのと返してくる。2027年開業予定のリニア新幹線について大手建設会社4社のみで談合がおこなわれていた事案が発覚したが、あれだけ大きな規模の工事だと、どうせ準大手では難しい、という謎めいた擁護も聞こえてくる。そうではなく、談合がおこなわれたことを指差すだけでいい。業界構造に理解を示し、不純なプロセスを寛容する人があまりにも多すぎる。

新国立競技場建設計画の白紙撤回は、蘇生のための心臓マッサージのごとくおこなわれたが、経緯を記憶している人は少ないだろう。支持率アップのカンフル剤として「やっぱやり直し」が宣言された。そのプロセスは、民意の力の大きさと、民意をあずかる行政の浅はかさを露出させていた。衆議院特別委員会で安全保障関連法案が強行採決され、翌日には衆議院本会議を賛成多数で通過。国会前に怒りの声が集い、人々の不満がいよいよ立ちこめるなかで、ヤバい、ここでなんか一発イイ感じの判断を投じておきたい、と欲した人たちが、安保法制の議論と平行するように問題視されていた新国立競技場の建設費高騰問題を鎮めることで、取り急ぎ、民意をなだめたのだ。なだめられた私たちは、そのことを記憶しているだろうか。

白紙撤回の表明が安保法制採決の翌日になったのは偶然と言い張ったが、その見解に頷けるはずがない。安倍首相は、「支持率だけのために政治をやっているわけではない」と豪語したが、支持率だけのために政治をやっているのは明らかである。トランプ大統領のご機嫌をうかがい、主体的判断など一切出来ないにもかかわらず、北朝鮮情勢を煽れるだけ煽って、選挙に勝利、その瞬間から「国民に信任された私たち」と前置きし始めるのが毎度お馴染の手口ではないか。白紙撤回も似ている。「国民の声に耳を傾け、1カ月ほど前から現在の計画を見直すことができないか検討してまいりました。本日、オリンピック・パラリンピックまでに工事を完了できるとの確信が得られましたので、決断を致しました」と、「確信」「決断」と断定的な言語をいたずらに並べ、「決める時は決める」政治を演出した。

すぐにわかる嘘をついていらっしゃった。わずか3週間前に、総工費2520億円の政府案を決定していたではないか。安倍首相の会見を受けて菅官房長官も「これまで国民の声に謙虚に耳を傾け、さまざまな点を踏まえて検討を進めてきた」と反復している。はたして彼らが「耳を傾けた」ことなどあったのだろうか。

この判断が出るまで、国立競技場周辺の地域住民への取材を続けてきた。自分は2014年夏まで河出書房新社という出版社に勤めていた。千駄ヶ谷の明治通り沿いにある社屋の斜め前には国立競技場、目の前には明治公園が広がっていた。ポール・マッカートニーの国立競技場での来日公演が、彼の不調によってドタキャンされた日、落胆するファンたちを前にして、自社のビートルズ関連本を特設屋台で売り捌こうと試みた商魂には感服したものだ。3・11の際には目の前の明治公園へ避難したし、その明治公園は、しばらくすると、反原発デモのスタート地点にもなった。10年足らずの期間そこで暮らした身として、新国立競技場建設において、住民の声が剝奪されている空気を知り、苛立ちを覚えたのだ。地域住民は、JSC（日本スポーツ振興センター）、文部科学省、東京都、そのどこへ訴えようにも漏れなく「暖簾に腕押し」が繰り返されることに対して、ほとほと疲れ果てていた。個々の切なる声は、数値化できるものではない。支持率の折れ線グラフばかり注視している人たちは、数値が作り出す矢印の向きだけを気にする。矢印の向きに影響してこない小さな動きに目を向けようとしない。どうでもいいのだ。

国立競技場に隣接する都営霞ヶ丘アパートの住民は、ポストに投函されたA4の紙ペラ一枚で、一方的に立ち退きを命じられている。数十年もの間暮らしてきた住まいを、オリンピックやるんで、国立デカくするんで、なんかすんませんけど、出てってもらいますね、と言う。どの口が言っているのか。あの口が言っているのだ。招致スローガンとして連呼された「今、ニッポンにはこの夢の力が必要だ。」を実現させるため、力づくで人をほっぽらかしてしまう。「謙虚に耳を傾ける」ことから最も遠い行為の連鎖が、「責任者はオレじゃない」「そんな話聞いていない」「民主党政権の時に決まっていた」と、総工費の高騰をなすり付け合う姿に表出していた。

２５２０億円という血税が投下されると発覚した途端、くすぶっていた世間の怒りが爆発、以前の大会と比べてもこれだけコストがかかる、この金があればスカイツリーが何本も建つ、という、いかにもワイドショー的な図式で懸念が繰り返されたが、そもそも建築家の槇文彦や市民団体「神宮外苑と国立競技場を未来へ手わたす会」などは、問題視される2年ほど前から総工費が高騰することを具体的に指摘し、警鐘を鳴らし続けていた。逆に言えば、世間は、この膨大な総工費が明らかになる前までは、「せっかくのオリンピックなんだし……」という、なし崩しの承認で放置していたのである。建設費高騰を叩く行為に飽きると「せっかくのオリンピックなんだし……」を取り戻して、夢の力でニッポンをどうにかしようとした。

国立競技場をめぐるカネの問題は、旧・国立競技場の解体時に立ち返らなければならない。詳細は後述するが、解体工事業者を決める入札は二度のやり直しとなり、官製談合が疑われる事態に陥った。その時点で下村博文文科相は、「警察庁に通告をいたしました」（2014年10月・参議院予算委員会）とまで述べている。しかしその後、十分な説明を果たさぬまま、三度目の入札で業者が決まり、ご存知の通り、解体をやり遂げてしまった。競技場ができあがろうとする今、解体工事の談合疑惑をむしかえす人はいない。

新国立競技場の総工費高騰問題が俎上に載ったのは、2014年5月18日に下村文科相が舛添都知事に「屋根をつけることができない」と相談したことに端を発する。国立競技場のスタンド本体解体が完了したのは5月8日のことである。再三再四懸念されていた高騰をいよいよ明らかにしたのが、解体が完了したすぐ後であったことに着目する必要がある。いまさらと言われようが声に出す。そもそも、国立競技場は解体されるべきではなかったのである。あのタイミングで高騰化を訴えてくるのは、「服を脱げ」と言われて全てを脱いでゴミとして捨てられた後で「ところで、目当ての服が高くて買えなさそうなんだよね」と言われたようなものだ。手持ちの財布とにらめっこしながら買える服を探すしかなくなる。だが、脱がなければ、服を買う必要など生じなかったのだ。

単なるレトリックではない。オリンピックの環境や社会との調和を記した国際的な宣言「オリンピックムーブメンツ・アジェンダ21」には、既存の競技場を出来得る限り使えるようにすること、新設する場合には周囲の文化や環境に配慮することが提言されている。国立って老朽化していたし、どうせ壊すことになっていたんだよね、と正当化する弁が目立ちに目立ったが、国立競技場は東日本大震災直前の２０１０年度に耐震補強工事をおこなっている事実がある。ほんの少し前まで壊すつもりなんてなかったのだ。建築家や市民団体からは、旧国立競技場を活かした代替案がいくつも提示されていた。金銭面での苦渋を吐露するのが解体工事完了後であったことには意図があるのだ。国立競技場は壊す必要などなかった。

粗末にも程がある解体工事入札の流れを急ぎ足で振り返っておく。自由気ままに膨らむ総工費を聞かされて頭に血が上った後では、解体工事にかかった数十億は〝はした金〟と思えたかもしれないが、無事に完了してしまった解体工事の過程には、やがて明らかになった２５２０億円という膨大な無責任の芽生えがある。国立競技場を北工区と南工区に分け、２０１４年7月から始まる予定だった解体工事だが、実際に着工したのは三度の入札を経た12月半ばである。まず5月に開札となった第一回の入札が翌6月に不落となり、同月に告示された第二回目の入札では両工区ともに関東建設興業に決まった。ところが、入札の最低金額を提示していたフジムラが内閣府の政府調達苦情委員会に異議申し立てをおこなった。

再入札でひとまずの落札業者に決まっていた関東建設興業は北工区で二番手（18億4140万円）、南工区で三番手（17億2500万円）の入札価格だった。通常であれば、両工区ともに最低額を提示したフジムラが落札となるはず。しかし、フジムラは「特別重点調査」の対象になったとの連絡を受け、必要書類を提出した翌日にヒアリングを受けることとなった。特別重点調査とは、提示した価格での遂行能力や下請け業者にダンピングしないかなどを調査する異例の措置。膨大な書類を提出し、ヒアリング終了からわずか数時間後、ＪＳＣからフジムラに対し「書類の不備があったため無効とする」との電話連絡があった。不備の詳細を尋ねるも、具体的な説明はなかったという。

再入札が無効となった経緯も引き続き不可解だった。入札期限以降でなければ開けてはならない工事費内訳書を、ＪＳＣの担当者が入札の前日に開けてしまっていた。政府調達苦情検討委員会の「報告書及び提案書」は、この点を「入札手続の秘密性保証の観点から看過しがたい」として、契約の破棄と新たな調達手続を促したのである。開封行為が、二回目の入札が無効となった主因に違いないが、２０１４年秋の著者の取材では、フジムラが政府調達苦情委員会に苦情申し立てをおこなったのには、別の理由もあった。落札業者に対してある疑問を持っていたのである。入札参加が認められた後に配られる書類でしか知り得ない、残土処分費を一定量免除するとの情報を事前に持っていた事への疑念だ。入札参加後、実際に書類を手にしても、その残土処分費免除の件は明記されていなかったという。疑問に感じたフジムラがＪＳＣに疑義を申し立てると、「免除になる」と回答があった。この値段を把握しているかどうかで当然、提示する額が変わってくる。なお、再々度仕切り直しとなった第三回の入札で最終決定した業者は、北工区がフジムラ、南工区が関東建設興業である。いざ決まってからは、優位な情報を持っていたとの疑いについて、誰も問うことはなくなった。

同じ頃、日本青年館で開かれた地域住民向けの説明会に足を運ぶと、その時点では解体業者が定まっていないのにもかかわらず、配布された資料には具体的な解体スケジュールを記した工程表があり、仮囲いや防音パネルの参考例、取り壊しの施行手順、圧砕工法を写真で図示、アスベスト飛散についての記載まであった。資料には施工者として関東建設興業の名前が明記されていた。当然だが、出席者から「解体業者が決まっていないというのに、なぜこのような書類を配ることができるのか」という憤怒の声が飛んだ。解体業者二社が決まった後の２０１５年１月の説明会にも出向いたが、ここで配布された資料は、北工区にフジムラの名前が加わった程度で、９月に配られたものと殆ど変わらない。となれば、ストーリーが定まっていたのではないか、と邪推したくなるのは当然だろう。

行政は、とにかく近隣住民の声を無視し続けてきた。もっと耳を傾けて欲しい、ではなく、少しも耳を傾けてくれない状態が続いた。Ａ４の紙ペラ一枚で立ち退きを命じられた霞ヶ丘アパートの住民有志は、２０１５年６月に、東京都に対して要望書を提出、この要望書の筆致には怒りが滲んでいる。私たちはこれを無視したのだ。「私たちは移転の可否について、都から一度も相談を受けていません。住民の気持ちを顧みない東京都の手続きからは、私たちがひとりの『人として』尊重されていると感じることができません」「私たちの転居を、あたかも『モノ』を移し替えるかのように扱う東京都の態度に、私たちが深く傷つけられました」

この要望書を提出した後、6月22日に都庁記者クラブでおこなわれた会見では、住民有志と同席した上智大学の稲葉奈々子教授が、アパート住民に実施した住民アンケートで、回答者のうち80％の住民がそのまま霞ヶ丘アパートに住み続けたいとの意向を示していることを指摘した。回答者の内訳を見ると、30年以上も同アパートに住んでいる人が60％にも及んでいる。紙ペラ一枚で崩せるはずもない、時間をかけて築かれてきた助け合いのコミュニティだ。本アンケートは、配布したうち回収率が25％ほどだったが、無作為配布の場合では目立って低い回収率ではないという。ところが、このアンケートの存在を知った都知事の舛添要一は「回収率が低く、検討するに値しない」と退けた。総工費の高騰が明らかになると、舛添都知事は「都は負担できない」と都民の味方であろうとしたが、たちまち、森喜朗に「甘くなるように」との意味をこめた蜂蜜を渡されるなどして丸め込まれてしまった。地域住民は、「都民の味方」モードが付け焼き刃であることを見抜いていた。

1カ月前から検討していたとする安倍首相は、白紙撤回決定から1週間ほど前に「現段階で新たに国際コンペをやれば、五輪に間に合わない可能性が高いとの報告を受けている」とも答弁している。白紙撤回を受けて、内閣府や文科省の担当者から霞ヶ丘アパートについて「ゼロベースで見直す」との声も出たが、暫定的な見解に過ぎず、結果はご存知の通り。再び「夢」「未来」などといった散漫な言葉をリサイクルして自らを鼓舞する前に、尊重すべき声に耳を傾けるべきではなかったか。

国立競技場の近くに建つマンション住民に話を聞いた。入居時には新国立競技場についての仔細を伝えられておらず、景観の良さに惹かれて入居した住民がほとんどだったという。しかし、突如発表された新国立競技場の巨大なプランを知って仰天。景観が損なわれるどころか、低層階についてはまったく日の当たらない立地となることが予想された。周辺の住宅環境との折り合いで、全ての部屋のベランダが競技場側を向いており、マンションからの視界はおおよそ封じられてしまうことになる。ベランダから、道路を挟んだ新国立競技場まで10メートルと離れていないのだ。

2520億円という総工費が明らかになった後、計72億円の整備費を含まず発表していたことが発覚したが、その整備費の多くを占めるのが、隣接する東京体育館などの建物と競技場を結ぶ立体歩道の存在だ。このまま着工していれば、ドームだけではなく、水平に伸びる立体歩道にも景観を阻害されるところだった。

大きな建築物を作れば、周囲の建物はなにがしかの影響を受ける。それによって困る人の声を拾い、その声を大きく伝えれば「反対運動」になると茶化す物知り顔も多いが、とてもそんな簡単な構図とはいえないものだった。民間事業であれば、住民の理解を得るために説明の場を複数回持つことがほとんどだが、JSC側はこのマンションの住民たちの要請に対して、一度たりとも丁寧な説明を果たしていない。購入したマンションの前に巨大な壁が立ちはだかるのを、ただただ甘んじて受け入れろというわけである。数度の住民説明会の機会だけではなく、電話連絡にてJSCに掛け合い、現時点での詳細を伝えるように申し出たが、「必要があればこちらから連絡します」と繰り返すのみ。必要があるのはこちら、なのだが、そのうち黙ってくれるだろう、くらいの判断なのだろう。

解体工事に際しては、騒音や粉塵、旧国立競技場の一部資材に含まれるアスベスト飛散の可能性など具体的に問うたものの、対面できる唯一の機会となった説明会での返答は、資料を読み上げるか、具体的に答えずに「大丈夫です」と強気で言い切るかのいずれか。解体工事が始まると、朝早くからダンプカーの音に悩まされ、交差点を曲がるダンプカーから鳴り響く「左に曲がります！　左に曲がります！」の連呼が目覚まし代わりになった。高齢者の多い霞ヶ丘アパートの住民からも、ダンプカーが一日に何百台と押し寄せることへの不安が吐露されていたが、この件についても配布資料に基づいて淡々と説明するのみだった。住民たちは決して「一台も通すな！」と凄んでいるわけではない。安心させてくれる説明を望んでいたが、ついぞその対応は見られなかった。

周りに大きな建物があるわけではないこの一帯は風が強い。解体が始まると、マンションのベランダや窓に砂汚れがついた。

「JSCに連絡してみました。解体工事のせいでうちのマンションに粉塵が飛んできているんです、と。そうしたら、担当者はなんと言ったか。その粉塵が国立のものだと証明してほしい、と」

にわかには信じられない話だが、住民説明会でのつっけんどんな対応を目にしていると、さもありなん、との対応である。国立競技場周辺には、霞ヶ丘アパートを除けば直接に競技場に面する住居空間は少ない。先述の通り、アパートには高齢者が多く、連帯して都や国に対して声を上げようにも限界がある。一歩通りを入ったところには商店街も広がっており、となると、やはりオリンピックを商機と捉え、建設には賛意を示しがち。直接的な損害をこうむる人々が巨大プロジェクトの割に少ないことも手伝って、ＪＳＣはこのマンション住民たちに対して強気の対応をとってきた。

白紙撤回を宣言し、下降する支持率の歯止めを画策した安倍首相は、オリンピック招致の演説で「ほかのどんな競技場とも似ていない真新しいスタジアムから、確かな財政措置に至るまで、確実な実行が確証される」と発言している。「ほかのどんな競技場とも似ていない真新しいスタジアム」を作らないとしたのならば、それは自らの発言にある「確証」を覆すことに他ならない。日本国のために英断を下したという体《てい》を保とうとしているが、自らの発言の無責任さを素直に問い質すべきだった。

当初、「オレが招致を決めた自慢」がそこかしこで鳴り止まなかったが、いざ総工費の高騰が明らかになると、こぞって責任回避を繰り返し、責任者は不在となった。そもそも解体工事が何度も入札をやり直しになった後で、同じ体制が維持されたことが不可思議でならない。国立競技場建設を巡る混迷は予測されていた。或いは、練られたものである。自らの既得権益にすがりながら乗り切ろうとした人たちは、改めて参画したいのであれば、まずは明らかにすべきことを明らかにし、然るべき謝罪をするべきだった。もう一回コンペしてみたら数百億減らせました、という結果となり、何事もなかったかのように建設を進めていく。そんな帳簿の調整の前に、国民の声に耳を傾けるべきだ。

編著『反東京オリンピック宣言』（航思社）を手掛けた神戸大学大学院国際文化学

研究科教授の小笠原博毅は、いくつもの諸問題を抱えたまま五輪が開催され、それが「成功」という結論でまとめられるとき、最も貢献してしまうのは「手放し礼賛」派でも「困難を乗り越え頑張れ」派でもなく、「どうせやるなら」派ではないかと指摘した。

思い出すべきだ。私たちの多くは五輪に反対していた。そうやって当初は批判的であったにもかかわらず、せっかくの機会だからと、考えを改めてしまう。しかしそれは、問題点をいかにして忘却させるかを画策する人たちの思惑通りである。招致決定から現在に至るまで生じている数多の問題が、やるとなったからには仕方ないという放任の結果、許されてしまう。たった数週間の祭典のために、あらゆる悪事を「せっかくの機会だから」と見過ごすべきではない。そこには住まいを奪われた人がいる。建設現場では自殺者も出ている。オリンピックって、誰かの住まいや命を奪ってまでやることだろうか。

ミュージシャンの椎名林檎は開会式・閉会式の演出を検討する有識者チームの一人に選ばれたが、彼女は2017年7月24日のインタビューで「正直『お招きしていいんだろうか』と言う方もいらっしゃるし、私もそう思っていました。でも五輪が来ることが決まっちゃったんだったら、もう国内で争っている場合ではありませんし、むしろ足掛かりにして行かねばもったいない。だから、いっそ国民全員が組織委員会。

そう考えるのが、和を重んじる日本らしいし、今回はなおさら、と私は思っています。取り急ぎは、国内全メディア、全企業が、今の日本のために仲良く取り組んでくださることを切に祈っています」（朝日新聞デジタル）と述べた。小笠原教授の言う「どうせやるなら」派とは彼女のような存在を指す。ねぇねぇ、みんなで一緒に国策を背負いませんか。なんで背負わなければいけないのか。五輪はこういった積極的隷従を可視化させる。

２０１７年9月にガーディアン紙が報じたが、２０１６年リオデジャネイロ五輪と20年東京五輪招致の不正疑惑をめぐり、両招致委員会から当時の国際オリンピック委員会の関係者に多額の金銭が渡った可能性があると、ブラジル検察が結論付けている。私たちは明らかなる賄賂まで見逃して、「国民全員が組織委員会」に頷かなければならないのか。人気ミュージシャンが言っていることだからと、批評せずに黙認する姿勢が情けない。椎名の言葉を素直に受け取る音楽ジャーナリストを複数見かけたが、自分の好きな人の言動は全て信じるという態度は、批評からもっとも程遠い行為だ。

自分が国立競技場の前で働いていたから、という理由はあるにせよ、国策に踏んづけられる人々たちを見捨てたことへの苛立ちは止まない。「オリンピック・パラリンピックが開催される２０２０年、日本が大きく生まれ変わる年にするきっかけにしたい。憲法について議論を深め、国の形、あり方を大いに論じるべきだ」（安倍首相・2

017年12月19日）と、憲法改正と五輪を絡めていく。運動会が開かれるから校則を変えましょうという珍奇な提言である。珍奇ならば珍奇と言わなければいけない。「どうせやるなら」派がもっとも恥ずかしい。仲良く取り組む必要などない。

＊「どうせやるなら」派の声がいつまでも止まない。国立競技場が解体されても、JOCの竹田恒和理事長が疑惑を放置したまま辞めても、新型コロナウイルスの感染拡大で1年延期になっても、その感染が止まらないままでも、とにかくオリンピックはやるんです、という限られた勢力を支えたのは、「どうせやるなら」派の面々だった。2021年3月21日まで1都3県では緊急事態宣言が出ていたが、もともと想定されていた期間は2週間で、なぜ2週間だったかといえば、25日から聖火リレーが始まるから。さすがに世界各地で報じられる聖火リレー開始のニュースに「ところでそんな日本ではまだ緊急事態宣言が……」と報じられるのを嫌がったのか、感染者数が微増し、死者も生じ続けているというのに、宣言を終わらせてしまった。

そして、聖火リレーが始まった。メディアの多くは、力づくでポジティブな出来事として報じ、批判をかわすように、選ばれたランナーたちが持つ物語をかぶせていった。コメンテーターは、「確かに色々な問題はありましたし、現在も解決されていない問題は山積みです。でも、こうして始まったからには、文句ばかり言うのではなく、みんなで良き大会を目指しましょうよ」といった無責任な意気込みをばら撒いた。五輪招致時には、中枢メンバーとして参加していたものの、５０００万円に見立てた発泡スチロールがカバンに入らずに都知事を辞めた猪瀬直樹は、「コロナの中で国民にアンケートをすれば気持ち的には乗ってこないことはあると思います」が、「いざオリンピックが始まって、日本の選手が頑張っている姿を見れば興奮して応援すると思いますよ」（ABEMA「AbemaPrime」3月18日）と述べた。こうして、反対する国民の声を受け止めるのではなく、国民の声を軽視して、なかったことにする。オリンピックは、絶対的に成功が約束されている。なぜって、主催者が「成功した」と言えば成功になるのだ。成功した、と言い切る陰で、あるいは後ろで、この原稿で記したような、潰された人たちがいる。「どうせやるなら」の下で、「なんでこんなことやるの」が窒息する。その声は聞こえない。残酷な仕組みだ。

地方創生と原発広告

「どんなことが起こっても決して、周囲の人びとに被害を与えない／これが原子力発電の安全の考え方です」。

これは日本原子力文化振興財団が１９７６年4月18日に愛媛新聞に載せた広告のメインキャッチコピーである。このメッセージに「その通り」と頷ける人は誰一人としていないわけだが、原発行政は長年、真っ先に被害を与えることになる「周囲の人びと」を騙す広報活動に勤しんできた。元・博報堂の営業マンにして作家・本間龍『原発広告と地方紙――原発立地県の報道姿勢』（亜紀書房）は、原発安全神話を作り上げたインチキ広告の数々が、いかにして原発を近くに持つ地方紙に投じられ続けてきたかを明らかにする労作である。

電力会社が、原発誘致によって支払われる交付金という名の札束で地方の人びとの頬を優しく引っぱたいてきたことはよく知られたところだが、その札束の意味合いを強化する役割を果たしたのが地方紙だった。広告の安定確保が簡単ではない地方紙にとって、値下げ交渉が不要な電力会社は何よりの上客であり、電力会社にとっても、我が原発のお膝元で全国紙よりも圧倒的に読まれている地方紙の存在は、安全神話を共有させるには最適の場所だった。

積まれた広告費を前に、社論も堂々と歪んでいった。交付金で武道館・プール・総合運動場・野球場・テニスコート・体育館を建てた福島県大熊町を福島民友（１９８0年8月31日）は、「すばらしい施設　交付金でうるおう原発の町」と書いたし、１９８１年4月に起きた敦賀原発の放射性物質漏えい事故の後に、福島民報（１９８１年

4月27日）は「（福島原発は）二重、三重のガード」「敦賀とは施設が違う」「事故は絶対ない」と福島第一原発の所長の談話を載せ、「東京電力、東北電力は日本原電とは比べようがないほど安全管理に心を砕いていることがわかった」と書いた。このようにして、たくさんのお小遣いをくださる電力会社へのおべんちゃらを繰り返してきたのである。

このところ繰り返される「地方創生」が盛んに叫ばれ始めた頃、安倍首相は自身の対抗馬になることを恐れた石破茂を新設の地方創生相に押し込んだが、取り急ぎ繰り返される「地方創生」のスローガンは、何ら具体性を持っていないように見えた。その頃の所信表明演説を振り返ってみると安倍首相は、地方の地ビールが売り上げを伸ばしている、隠岐の島の「さざえカレー」が売れている、鳴門のうず潮を観に外国人観光客が増えていると、安手のグルメレポーターのような情報を並べて訴えていた。形だけのPRだから、結局はカネでの解決になる。地方創生に関してようやく出てきた具体案が、「地方で起業したら税制を優遇する」（2014年10月4日・石破茂地方創生相が講演会で発言）なのは、いかにもである。流行りものには目がないようで、「インスタ映え」が2017年の流行語大賞に選ばれると、安倍首相は時事通信社の関連団体である「内外情勢調査会全国懇談会」で講演し、「地方活性化の鍵はSNSにあります」と言い始め、「SNS映えするということはインスタ映えするとも言われているんですが、Instagramとか Facebookに投稿した写真が、多くの方々から称賛される、いいねを押されるということをもってSNS映えする、インスタ映えすると、こう言われているようであります」と続けた。「今年のうれしいニュースに、カズオ・イシグロさんのノーベル賞受賞がありました。イシグロさんの故郷長崎では、いちご、メロン、すいかといったフルーツの形をしたバス停がSNSで人気を集めています。今から25年以上前、長崎旅博覧会をきっかけに、訪れる人を和ませるために、シンデレラのかぼちゃの馬車をヒントに町が整備したものであります。フルーツ狩りならぬ、バス停狩り。若い女性を中心にドライブやピクニックに観光客が増えているそうであります」とのこと。カズオ・イシグロと全く関係ないと思うのだが、とにかく流行りの要素に食らいついて、「SNS映えする街道風景を増やしていきたい」と続けるのだった。こんなレベルの地方創生が続く。

『原発広告と地方紙』は、「地方にカネをバラ撒けば世論形成できる」という、地方に向かう舐めた目線がいかにして慣例化してきたかを知る資料にもなる。地方紙のうち、もっとも原発広告が多かったのは青森県の東奥日報。複数の原発に加え、核燃料サイクル施設建設/稼動に向けての世論形成のために、重点的に広告が打たれてきた。

東奥日報（1986年3月16日）の原燃・電事連の広告では、福島が交付金でどれだけ潤ったかを紹介し、「大熊町、双葉町では雇用が増え、経済活動も活発になりました／出稼ぎに行く人がとても少なくなったそうです」と書く。中枢の申し出を受け入れれば地方も潤うんですからね、という論旨はこうして数多の広告によって浸透してきたのだ。

原発広告を総覧していると、やたらと「女性」と「子ども」を使っていることがわかる。福島民友の東北電力の広告（2009年10月24日）では「次世代を生きる人に、エネルギーの安心を届けたい。」と書き、赤ん坊を抱いたお母さんの写真を印象的に使った。福井新聞は1970年11月に、中学生に原発訪問をさせてポジティブな感想だけを引っ張り出す連載「原発とぼくたち」を載せたし、東奥日報は1986年2月22日に資源エネルギー庁の広告として、女優の赤木春恵に福島浜通りで住む女性たちに話を聞かせたPR広告「浜通りの肝っ玉母さんたち。」を載せた。

その他、やたらと女性のフリーキャスターが重宝されているのも興味深い。「親しみを持ってもらう」作戦として重宝されていたのだろう。難しい議題を説明する時に「女性」と「子ども」を使っておけばという思考はあまりに安っぽいが、その思考は未だに消えていない。集団的自衛権に情緒的に訴えた安倍首相が、米国の軍艦に乗って避難する日本の親子をパネルにイラストで載せて、「皆さん、そして皆さんのお子さん、お孫さんの命を守らなければいけない」と訴えたのは記憶に新しい。情に訴える時はいつも女・子どもだ。

この本に掲載された403点もの原発広告と記事は、原発行政が「皆さん、そして皆さんのお子さん、お孫さんの命」をどれだけおろそかにしてきたかを明らかにする。中央の論理で地方を引っぱたく時、もはや論理など用意できるはずもなく、札束と情で訴えるしかなかったという事実が嫌というほどわかる。

「地方をなんとかしないと」という訴えは、当然、原発再稼働ともリンクしてくる。そこにスマートに繋いでいくために、しれっと原発広告が息を吹き返すのだろう。もうさすがに闇雲な安全神話はバラまけない。著者が書くように、これからは、「化石燃料に頼ることで経済収支が悪化」→「ほとんどは風評被害、事故による被害は軽微」→「経済維持にはエネルギーベストミックスが必須」という論理で、新たな原発広告がバラまかれていく。

電通は3・11以前から原発推進団体「日本原子力産業協会」に加盟していたが、それまで未加盟だった博報堂とアサツーディ・ケイが2014年から加盟している。復興予算の中から支払われる「風評被害対策費」を新たなドル箱として、多くのPR活動が見込まれているからだ。真っ先に上客として見込まれていくのはまたしても地方紙になるのではないか。「東京は安全」（日本オリンピック委員会会長・竹田恆和）と言って原発の被害は大丈夫ですよと言いながら招致した五輪を、決まった途端に復興五輪と名付ける悪しきセンス。原発再稼働の決定がなされる度に、その周辺の首長は、現実を見なければいけないといった積極的な回避を繰り返す。その時に「今度はもう安全なんで！」との広告が補強され、いつまでも反対しているだけではいけないという空気が醸成される。広告が、空気読めよとの訓告の役割を果たすのである。空気は読まない、だっておまえたち、空気汚すんだもの。

＊2021年3月にこんなことがあった。『自民党発！「原発のない国へ」宣言』（東京新聞）という本を刊行した自民党・秋本真利衆院議員が、その出版を記念した講演会を茨城県水戸市で開催した。主催したのは、県内の市民らでつくる実行委員会。茨城県は、日本原子力発電東海第二原発の再稼働問題を抱えているが、自民党の茨城県連が、秋本議員に講演を辞退させるように働きかけた結果、最終的には二階俊博幹事長の耳にも入り、二階幹事長は秋本議員に、講演会を開いてもいいが原発の話はするな、との指示を出した。

なかなか不可思議な事態である。『おいしいカレーの作り方』という本の出版記念で、カレーの話をするな、と言われているようなもの。ラーメンの悪口を言ったり、うどんに入れたら美味しい茶色い液体はなんでしょう、なんて話をすればいいのだろうか。実際には、「原発」というフレーズを出さずに再生可能エネルギーがいかに優れているかという話をし、「原発」ではなく、「再生可能エネルギー以外」なる言い方をしたそう。あまりに情けなくないか。

2050年に温室効果ガス実質ゼロへ、と銘打った政権は、しっかりとそれを原発再稼働に結びつけようと画策している。一回、あれだけの大事故を起こしたのだから、今度はそれを活かしていきましょうという、極めて自分勝手にポジティブな圧が加わろうとしている。あまりに珍奇だが、その珍奇さが、原発という存在にお似合いなのが怖い。

首相を揶揄する落書きを描いた場合のみ逮捕される社会

安倍首相のポスターに度々落書きをしていた71歳の男性が器物損壊の容疑で現行犯逮捕されたのは2015年9月のこと。容疑者は「今の政治に対し、やむを得ずやった」と容疑を認めたという。その事件の少し前には、JR御徒町駅構内のトイレに安倍首相を揶揄する内容の落書きがあり、警視庁上野署が器物損壊容疑で調べを始めた、との報道もあった。

この手の報道を見つけて、顔を真っ赤にして「国策捜査だ！」と勇み足で叫ぶべきではない。しかし、法の下の平等＝法の適用が平等でなければならないのであれば、容疑者への手厚すぎる捜査を疑うのではなく、その他の落書きが堂々と放任されている状態を問題視してみることは勇み足ではなく建設的だろう。法が等しく機能するならば、安倍首相のポスターにチョビ髭を描く行為と性風俗方面のチラシに卑猥なイラストを描く行為への対応に差があってはならない。一方の落書きが「犯行がエスカレートしてきたため、警戒していた警察官が逮捕した」（FNNニュース）のならば、もう一方の落書きも、警察官が警戒を強め、器物損壊に勤しむ者をあちこちで逮捕しなければならない。

警察がもし、安倍首相を揶揄する落書きならば動いて、「××したい人、TELください　080-＊＊＊＊-＊＊＊＊」ならば動かないのだとしたら、問題である。安倍首相に向かう落書きを直接見かけたことはないけれど、「TELください」方面の落書きは所々で見かける。いたちごっこのように、新たに書き足されていくのだろう。「安倍首相の落書きをしたら逮捕されるなんて、ここは北朝鮮かよ！」と力む前に、「その他の落書きをなぜ放任するのですか」と問うてみたい。で、その問いにはどうやって答えるのだろう。

都内のJR施設で不審火が続いた事件で、威力業務妨害の疑いで男性が逮捕されると、彼はあらゆる報道で「自称ミュージシャン」と報じられた。音楽の世界はアマチュアでいる限りは契約を結ぶことは少ないが、果たして何を成し遂げれば「自称」を外せるのだろうか。男性がライブハウスで演奏する模様が繰り返し放送されていたが、口約束であろうがライブハウスと話をつけて演奏し、使用料を払うなり、対価を得るなりしていたのだから、彼を擁護するわけではなく、あくまでも冷静な判断として、彼は「自称ミュージシャン」ではなく「ミュージシャン」ではなかったか。

彼が作った曲のなかに「燃やせ！燃やせ！燃やせ！燃やせ！」との歌詞（原曲は英文で和訳がHPに掲載されていた）があり、その歌詞が今回の犯行をほのめかしていたという報道が並んでいたのにはさすがにうなだれる。張り巡らされる鉄道網の盲点を突ついた彼の手口は卑劣極まりなく、まったく許されるべきではないが、犯行理由を外から探索してどこかひとつの理由に辿り着こうとする悪癖がまたしても稼働していた。ミュージシャンなら、真っ先に歌詞世界をまさぐられる。「燃やせ！」と連呼した曲「GUERILLA」の歌詞は「新世界に平和を」で終わる。その点を指摘して、「だから彼は平和を目指していただけなのかもしれない」と真顔で書けば、この「自称ライター」はとてつもなく頓珍漢な指摘を晒したと、あちこちから糾弾されることになる。

報道が、多くの人が納得してくれる方向を目指すものであってはいけない。多くの人がこの報道が正義だと感じてくれそうな方向へ急ぎ、たとえバランスや配慮に欠いているなと気付ける事象であっても、共感してくれるほうに急いでしまう。そんな報道姿勢、および受け取る側の姿勢が、昨今、強化されている。立ち止まって、どうしてこの進行方向なのだろうと考えてみる程度の行為が、たちまち逆走行為として感知されてしまう。向きが違う、偏っている、と罵られる。

安倍首相の落書きで逮捕される人がいるならば、性風俗方面の落書きでも逮捕されなければならない……この手の意見は、正論ではなく暴論寄りに処理される。こういった、国を転覆させるわけではない小さな事象が、この国の平等という概念が正しく機能していないことを知らせてくれる。メディアもそのズレを感知しているのにもかかわらず、「おおよその納得」ばかりを獲得しようとする。

「燃やせ！」と歌っていた「自称ミュージシャン」がJRに放火した……付け焼き刃な数式で事件を片付けていると、そのうち「燃やせ！」と歌いにくくなるのかもしれない。冗談みたいな話だが、「首相のポスターに落書きした場合のみ逮捕される社会」なんて、しばらく前に聞かされれば、冗談でしかなかったはずなのだ。

＊政治家の街頭演説中に異議申し立てをした市民がその場から排除されるケースがこの数年で多発している。その場に居合わせた、あるいは、排除された当人が撮影したものがSNSで拡散されるのだが、多くの場合、メディアはこれを報じない。沖縄の基地建設反対で排除される市民しかり、権力者が圧倒的な力で個人を制圧する様子を放置しすぎである。素材はあるのに、それを使わないのだ。目線はどこにあるのだろう。

軽減税率適用を懇願する新聞・出版の体たらく

マスコミは偏向している、かなり多くの反日工作員がマスコミに紛れ込んでいる、と言っておけば、ある程度の賞賛が約束されるサークルに所属して、易々と日銭を稼ぎたかったものだが、テレビ局にしろ雑誌社にしろ、ある組織が作り出す報道は常に偏向していると考えるべきであり、偏向しているよね、で日銭をいただくことはできない。どんな識者に喋らせるか、話す順番をどう決めるか、あのニュースよりもこっちを優先したのはなぜか、などなど、物事を選択する度に、偏向は生まれている。どんな論調の媒体でもそれは変わらない。偏向している、で閉じられる議論などない。しかし、メディアの多くが及び腰になり、「言いたい事はたくさんあるけれど、なるべく言わないでおこう」という忖度を行使しまくるなかで、政府はメディアへの脅しの材料を揃えるようになった。その一つが「軽減税率」である。

消費税率10％増税時に、飲食料品に限定する形で2％分を還付する財務省案は、マイナンバー制度推進との抱き合わせが露骨すぎてさすがに一旦却下された。ＩＣカードに消費税額のデータ情報を蓄積し、インターネットを通じて還付金額を請求する仕組みを作るという、まったく頓珍漢なものだった。軽減税率を訴えてきた公明党からの要請に応え、政府は10％増税時の軽減税率導入へと方針を切り替え、税制調査会長を、軽減税率導入に慎重だった野田毅から推進派の宮沢洋一に交代させる露骨な人事をおこなった。麻生太郎・財務大臣は、ある講演で、軽減税率について「これは言っときますけど、財務省は反対ですよ、ほんとは。（中略）『めんどくせえ』って、みんな言ってるよ」と相変わらずのべらんめえ口調で愚痴ったが、この発言を逆さまにして問えば、財務省案ならば自分たちは面倒ではなかったわけで、消費税を取り戻したいんだったら、消費者に多少の面倒をしてもらわないと、というスタンスだったのだろう。

公明党が主張してきた軽減税率の導入に移行したことをふまえ、山口那津男代表が、出演したテレビ番組で「新聞や書籍は民主主義の基礎を支え、必要な情報を国民に提供する制度的なインフラだ。（対象品目に）基本的には入れるべきだ」（東京新聞・2015年10月18日）と発言している。軽減税率が導入されるとなれば、どの範囲までが適用になるかの議論が集中する。いや、議論というより、国民には可視化されにくい攻防が続く。軽減税率に入れて欲しい「新聞や書籍」の多くは黙り込む。

たとえば「外食や酒を除く食料品に適用」の説明は国民にも通りが良いのだけれど、果たしてそこまでクリアなものなのかどうか。斎藤貴男『ちゃんとわかる消費税』

(河出書房新社)の中では、魚が軽減税率の適用となったと仮定して「スーパーに行けば、魚はたいてい、トレーに載って、ラップで包まれて売っています。では、このトレーは軽減税率になるのでしょうか。トレーの会社は当然、適用してください、と言ってくる。ラップ業界だって黙っていない。産地シールを作る会社だって」との事例が予測されている。

仮に「魚は対象、酒は対象外」と制定されたところで、魚も酒も、それだけで商品として売られるわけではない。ありとあらゆる仲介業者が入る。対象となる品目の周辺で商売している人々は、当然のように、自分たちの品目にも軽減税率の適用を求めてくる。すると、どうなるか。『消費税が日本を救う』(日経プレミアシリーズ)の著者・熊谷亮丸は、その著書名が示すように消費増税推進派だが、複数税率の導入には反対しており、その理由のひとつとして「政治的影響力の大きい圧力団体をバックに持つ品目についてのみ軽減税率が適用されるという、不公平が生じることが非常に懸念される」点を挙げている。

財務省案の還付案については軒並みこきおろしていた新聞各紙だが、軽減税率導入への流れに向かうと、こきおろしをすっかり弱めた。安倍首相は消費税増税について「リーマンショックのようなことが起これば別だが、予定通り行なう」と逃げ道を残し続けているが、軽減税率については具体値を挙げず、こうなったらこう、という見解すら定まっていない。

新聞各紙はこの漠然とした言い様に突っ込むべきだが、5％から8％への増税が個々の家計に与えた影響を精査せずに、10％に増税することをすっかり許容し、「軽減税率の導入で不透明・不公正さを増すような制度設計は許されない」（朝日新聞・2015年10月18日）と社説を締めくくるなどしている。新聞社各社は部数減に歯止めがかからない。2％の値上げは、長期の低落傾向にさらなる追い打ちをかけるだろうから、軽減税率の適応を受けて8％におさえておきたい気持ちは十分に理解できる。しかし、万が一、その姿勢が紙面に忖度として滲んでいるのならばいただけない。

しょっちゅう雑誌を買う生活をいまだに続けているが、それらの雑誌のいくつかが、日本書籍出版協会による、本と雑誌に軽減税率の適用を求める広告を掲載していた。他国では出版物に軽減税率が適用されているという事例を並べ、日本でも適用するべきだと訴えかける。基本的には賛成できるが、2014年の出版販売金額が1950年に統計を開始して以来最大の落ち込みとなった理由について「原因ははっきりしています。昨年4月に5％から8％に引き上げられた消費税の影響です。（中略）私たちは大いに危惧しています。子どもたちが全国どこでも等しく本に触れられる環境が破壊されることを！」となかなか情緒的な文章が記されていて、こちらに素直にうなずけるほど素直ではない。消費税増税は確かに大きな痛手となったが、「原因ははっきりしています」と断言していいのか。

このままでは書店が無くなってしまう、だからこそ10%導入時には出版物に軽減税率を是非、という論旨はわかる。しかしその前に、8%引き上げの影響を精査し、消費税増税の害悪について徹底的に論証し報じるべきではないのか。引き上げたことで書店が潰れた、本が売れなくなったという断言が、「10%にするときはまずは僕らを優先的に除外してほしい」という懇願にスムーズにスライドしているだけならばいただけない。「リーマンショックのようなこと」がなければやります、という曖昧な姿勢を示していることを突つかずに、目の前にぶらさげられた軽減税率というニンジンに素直にパクつこうとしているのではないか。自分を守るために批判の手を緩めてはならないはずだ。

＊2021年4月から商品の総額表示が義務化され、出版業界も対応を迫られた。商品としての書籍の特徴は、出荷・返品を繰り返しながら何年もかけて売る商品だということ。多くの産業のように「次回の出荷からは総額表示にしよう」というわけにはいかない。「定価＋税」で表記されていたカバーの切り替えを強いられる。中小規模の出版社にとってこの作業は痛手であり、導入前から反対署名なども行われたが、大手の出版社はこの流れに乗っからなかった。出版文化が大文字で語られるとき、出版界の中でも、より大きな組織からの物言

いばかりが見解として提示される。規模の小さい書店も出版社も、その乖離に悩まされている。

左派が天皇陛下の言葉にすがる理由

以下の原稿は、雑誌『SAPIO』に書いたものである。隣国をいたずらに攻撃して自分たちの安堵を作り出す特集が目立つ雑誌だが、（少なくとも自分を担当してくれた）編集者が必ずしもヘイト行為に進んで参画しているわけではなく、あくまでもお望みの読者を捕獲する行為としてそういった特集が組まれている。隣国をいたずらに攻撃しようとは思っていない自分にも連載のスペースをもらい、1年間ほど、世の流れを緩慢に作るワイドショーを考察する連載をしていた。隔月刊となるタイミングで連載は終了したが、原稿の中に政権批判を混ぜ込もうが調整するように強いられることは一切なかった。だが、その場を与えられ、譲歩せずに記す姿勢を示すだけで安穏としていたのではないか、と自責の念にかられたのは、書店業界新聞『新文化』（2017年9月21日）に掲載された講談社の編集者・間渕隆のインタビュー記事を読んだからである。彼が手掛けた本は数々のヒットを記録、ケント・ギルバート『儒教に支配された中国人と韓国人の悲劇』（講談社＋α新書）は残念ながら2017年に最も売れた新書となった。オビ文には「日本人と彼らは全くの別物です！」なる排外思想が謳われ、本を開いても「日本人、中国人、韓国人のDNAには、大きな違いがあることが判明したそうです」「メディアのなかに、かなりの数の外国工作員が紛れ込んでいます」などと、隣国やメディアへの蔑視が繰り返される。経済産業省に在籍していた古賀茂明の著書『日本中枢の崩壊』を手掛けたのも間渕であり、この本は「政府の原発への対応に国民の怒りをひしひしと感じたため」に刊行したという。編集者に必要なのはイデオロギーではなく「時代の空気を読む感性」だという。『儒教に支配された中国人と韓国人の悲劇』がヒットした理由について、「ここまで伸びたのは、ケント・ギルバートさんというアメリカ人が『日本人と中国・韓国人は別物ですよ』と言ってくれたからだと思います。欧米人の書いた反中国・反韓国本だからこそ、特定の人たちだけでなく、多くの日本人に受け入れられたんでしょうね」と書いている。当たり前だけれど、編集者は著者ではない。距離がある。距離があるからこそ、1冊の本をより良きものにする共同作業が可能となる。しかし、近隣諸国の方々をいたずらに退ける本を編集した人間が「アメリカ人が『日本人と中国・韓国人は別物ですよ』と言ってくれたから」と分析してしまう光景はいただけない。私は商売でやっているんですよ、という譲歩は何に対しての譲歩にもなっていない。業界新聞で裏事情を話されても、そんなものは読者に関係ない。これはヘイト行為への加担である。

だがどうだろう、『SAPIO』の寄稿者として名を連ねていた自分もまた、ボクはそういうつもりではないんです、という勝手な譲歩で自分を許してはいなかったか。

本誌のような保守系雑誌が左派の現在を問う特集を組む意図はどこにあるのか……と書き出した一文には、最終的に、雑誌の方向性に配慮した、忖度した気配がある。時制を修正するなど微調整したが、こんな原稿であった。

＊

本誌のような保守系雑誌が左派の現在を問う特集を組む意図はどこにあるのか。結局、運動会の騎馬戦のように、こっちからあっちに向かって「かかってこいや」と煽動するだけでは、と疑ってしまう。

2015年夏、盛んに巻き起こった安保改正を巡る議論は、「近隣諸国の横暴を考えれば当然だ！」と「こんなの戦争法案だ！」という合戦がいたずらに続いた。右でも左でも、勢い任せの鋭い言動が自陣で愛でられる、そんな環境が補強され続けた。結果として、付け焼き刃で組まれた騎馬同士はぶつかることすらせず、自陣でいつも通りの会話を反復するだけに終わったように思う。

今回、編集部から「リベラル側は今なぜ天皇の言葉を求めているのか」とのお題をもらったが、端的に答えてみるならば「政権中枢が勢い任せの言葉ばかりを叫んでいるのに対して、天皇が極めて慎重に言葉を選び続けているから」となる。昨今の政治家は、失言を漏らすたびに「先日の発言を撤回します」と、恐るべき手法で発言を霧散させることが出来るが、そもそも政治的な発言が許されていない天皇は、発言の撤回はもちろんのこと、新年の歌会始や折々の談話など、限られた機会に自分の思いを間接的に漂わすことしかできない。間接的に漂わせること自体が直接的の領域だと断じられることも多い。

今、騎馬戦の左側では、国家の中枢に跋扈する強気の直接話法を煙たがりながら、天皇の間接話法に「自分たちの味方なのでは」とすがる状況が生まれている。自分たちの信念を補強するように「天皇も同じ考え」と呼び寄せるだけでは何ら前進しないことを自覚しつつも、これまで天皇の存在に持論の補強として活用してきた右側の手法を、初々しくも左側が用い始めている。

なぜ、このような状況が生まれたか。3・11以降、原発反対、特定秘密保護法反対、憲法改正反対など、左側からの異議申し立てが受け止められやすい事象が重なったにもかかわらず、民主党政権の失墜や朝日新聞の慰安婦報道訂正などの影響を受けて、自らの主張の軸足を定めるチャンスを逸し続けている。結果、使えるものは全て持論の補填に使おうとする姿勢が皇室にまで広がってきた。

そこには安倍政権が勢い任せに皇室を利用してきた反動も含まれる。2013年4月28日、サンフランシスコ講和条約によって主権を回復した日を記念した式典が政府主導で開かれた。言わずもがな、この日は沖縄県民にとっては日本から分断された「屈辱の日」だが、この日の式典で、退席する天皇皇后両陛下に対して、安倍首相をはじめとした出席者が突如「天皇陛下、バンザーイ」と万歳三唱を始めた。「両陛下はいったん立ち止まった後、出席者に何度も会釈しながら会場を後にされた」（産経新聞・2013年5月3日）と、好意的な反応を示されたかのような記事もあったが、そのシチュエーションを作られても、何らかの言葉を残す行為が天皇には認められていない。明らかな政治利用であった。

戦後70年を迎えた全国戦没者追悼式で「お言葉」を述べられた天皇は、これまでにはなかった「先の大戦に対する深い反省とともに」という文言を付け加えた。一方、その後で発表された安倍談話は、右側にも左側にも気を遣ったのか、謝罪や反省の言葉を述べるでも、かといって触れないわけでもなく、「先の大戦における行いについて、繰り返し、痛切な反省と心からのお詫びの気持ちを表明」してきた事実について「今後も、揺るぎないものであります」とする間接話法に留めた。肝心の場面で、「反省」に改めて「深い」を直接加えた天皇、「反省」をフィルター越しに遠ざけて間接で済ませた安倍首相、こうして比較すれば、天皇の発言がリベラルに受け入れられる理由がひとまず見える。「なぜ今リベラル側が天皇の言葉を……」との問い、それは政府の姿勢と逐一連関している。

天皇は戦後の国策によって踏みつぶされてしまった国民に寄り添う活動を丹念に続けてきた。高山文彦『ふたり　皇后美智子と石牟礼道子』（講談社）には、2013年10月、初めて水俣を訪れ、水俣病患者と対面し、当初の予定にはなかった異例の長い言葉を述べた場面が仔細に描かれている。患者に向けて「真実に生きるということができる社会を、みんなでつくっていきたい」と述べ、「今後の日本が、自分が正しくあることができる社会になっていく、そうなればと思っています」と添えた。

皇太子時代を含めて計11回も沖縄を訪問してきた事実には、沖縄の存在を異化し続けてきた政治への警鐘を感じる。或いは、事故からわずか4年で、残りに残った争点を持ち出すだけで「放射脳」と揶揄されがちな福島原発事故について、4年連続で新年の「ご感想」に「放射能汚染により」（2012年は「放射能汚染のため」）との文言を入れこんでいることも、極めて意識的な発言と言える。

とはいえ、左派がここぞとばかりに天皇の言葉にすんなりすがる姿は、右派から見れば何たる好都合かと断じたくもなるだろう。左右がちっとも連動できない現在に、天皇を取り合うようにして、その発言を自己都合で解釈し合うのは、左右双方の浮わつきを象徴している。

自分には「右」よりも「左」との自覚があるが、一切のグラデーションを設けずに人の嗜好を左右の両極に切り分けて終わらせるだけの働きかけには感心できない。公害、沖縄、原発……苦い思いを抱えた人々に寄り添う言動は、国家の横暴に踏みつぶされてしまった個々人の戦後を記憶に留める行為である。そこに左右はない。いたずらに続く運動会の騎馬戦状態、その例えを引っぱるならば、このところの天皇の発言は、いずれかに加勢するはずもなく、グラウンドに転がる小石を取り除いたり、荒れた土地をならそうとする働きかけとも思える。

＊

……と、このようなテキストを書いた。なかなか煮え切らないテキストである。「ガツンと言ってくるわ」と出かけていったものの、相手のフィールドで最低限の親睦を深めようとしている。嫌われないようにする配慮が随所に見受けられる。媒体の特性を把握し、その理解を残す行為は、「時代の空気を読む感性」などと言いながらヘイト本を売り捌く姿勢とそんなに遠くない態度なのではないか。媒体の作法を察知して、自分なりに巧みに萎縮しているのは愚かである。その検証を怠り、読者に擦り寄りながら、人を容易く排他するテキストを書くようになる人もいる。立ち位置を自分だけが納得しているつもり、というのは危うい。

＊「なかなか煮え切らないテキスト」と書いている通り、改めて読んでも煮え切らない。現在の天皇からはこういった「すがりたく」なる発言は出てこないし、安倍から菅に首相が代わり、右派的な言説を率先して撒こうとはしない菅の言動もあり、むしろ天皇のほうがいいことを言うよ、といった強引な比較作業自体が発生しなくなった。いずれにせよ、「すがる」相手ではない。文庫化に伴い、カットしようかとも思ったのだが、この煮え切らなさを残してみた。

鼻くそを自由にほじれない社会

2017年4月にアメリカのメディア「インターセプト」が、日本がアメリカの国家安全保障局（NSA）と協力して情報収集活動をおこなっていた、と報じた。「インターセプト」は、CIA（米中央情報局）に勤めていたエドワード・スノーデンから文書を提供され、いくつもの記事を書いてきたグレン・グリーンウォルドが立ち上げたメディアで、スノーデンから提供された機密文書に、日本についての13のファイルがあると明らかにしたのだ。その中には「NSAが日本の協力の見返りに、インターネット上の電子メールなどを幅広く収集・検索できる監視システムを提供していた」（２０１７年4月25日・朝日新聞）とし、２０１３年の文書では、提供したシステムによって「通常の利用者がネット上でやりとりするほぼすべて」を監視できるとしている。この件に対しての防衛省のコメントは極めて頼りない。「『未公開文書』がいかなる性格の文書であるか詳細を承知していないため、防衛省としてコメントすることは差し控えさせて頂きます」とのこと。何も答えていないに等しいが、国家と国民の関係性を根底から崩す案件は追及されることなく放って置かれている。２０２０年東京五輪に向けて「監視」の働きかけがフルスロットルというか自由気ままに強まっている現在、テロ対策を持ち出しながら、個々人の行動形態がどこまでも掌握されることになる。

２０１４年、ＪＲ大阪駅の駅ビル「大阪ステーションシティ」で利用客をカメラ90台で撮影し、特定した個人の行動を追う実験が始まろうとしていた。いかなる理由かといえば、顔認証技術の精度を確かめるのが狙いであり、そのデータは個人が識別できないように処理を施した上で、ＪＲ西日本に提供されることになっていた。実施するのは総務省所管の独立行政法人・情報通信研究機構（ＮＩＣＴ）。本機構のプレスリリースを辿ると、「西日本旅客鉄道株式会社及び大阪ターミナルビル株式会社の協力を得て、大阪ステーションシティにおいて実証実験を行います」とのこと。リリースは２０１３年11月25日に発表されているが、そこに「11月から実証実験環境の設置を開始いたします」（傍点引用者）とあるのはもはや事後報告で不誠実だし、大阪ステーションシティのＨＰには実験の告知はなされていなかった。「実験」をおこなう時にあたり、実験対象に告知せず、実験場所にだけ許可をとればＯＫとするのは人道的ではない。

　実際にどのような実験をおこなおうとしていたのか。プレスリリースに掲載された「実験概要図」を参照してみる。施設内通路や施設内広場に約90台のカメラを設置し、取得した映像から「特徴量」（後述）を抽出する。個人が特定されないようデータ処理をおこない、それをＮＩＣＴが保存した上で共同研究機関に渡し分析、その結果を施設管理者（今回ならばＪＲと大阪ステーションシティ）に渡す、という。「特徴量」とは、顔の映像から特徴となる点を１００点程度抽出したもので、その特徴量で個人を特定し、個人の動向を追うという。「顔相当領域から抽出する場合の特徴量は顔面積の数％以内」だが、その特徴量にＩＤを与え、他のカメラが同一の顔を認識すると、その動きが関連付けられる、という仕組みだ。

　本実験の狙いをＮＩＣＴは「災害発生時における避難誘導等の安全対策の検討に活用する」としているが、人数把握とその導線を分析するために、本人の許可無く個人を特定して追跡する必要性があるのかどうかについて、詳しい説明はひとまず無い。

「平成26年4月から約2年間を予定」という実験期間はあまりにも長丁場である。分母が大きければ大きいほどデータの価値は高まるのだろうが、平日／休日／催事開催日／年末年始といったいくつかのサンプルを抽出すれば、「実験」は済むのではないか。

この報道が出た後にｗｅｂ25が「顔認証カメラ通行人追跡実験に是非」という記事を配信、今回の実験に肯定的なネットユーザーの声として「指名手配犯とか行方不明者を発見するのにもつながるな」「犯罪者以外には関係ない話。てか犯罪減って良い話」という声を紹介しているが、これは見当違いである。監視を巡る議論で繰り返し登場する言い草だ。

ＮＩＣＴの説明にはこうある。「施設内で不可逆処理を行い、元の映像が復元不可能かつ特定の人物が識別できない情報に変換するとともに、元の映像は変換後直ちに消去します」。つまり、ひとまずの建前上は、本実験以外の目的では利用・提供されないと誓われた以上、この施設内で指名手配犯がうろついていたとしても、「元の映像は直ちに消去」され、使用されることはないのだ。しかし、矛盾はすぐに見つかる。このプレスリリース自体、今回のような取り組みは、防犯などの分野で注目を集めていますよ、と強調しているからだ。「ほら、防犯などにも役立ちますから」というひとまずのアピールが、今回の実験に理解を得させようとする一つの材料ともなっているのだ。個人特定や個人追跡は絶対にしませんよと誓っているにもかかわらず、だ。

2006年にも、同様の実験が霞ヶ関駅でおこなわれている。当時の記事を引っ張ると、「千代田線内幸町口改札の一つを実験専用とし、高さ約2メートル30センチの位置に設置されたカメラ（約200万画素）2台で撮影する。通行人が、事前に『危険人物』として登録したデータと一致すれば警報音が鳴るシステム。5月19日までの平日午後の1時間だけ運用する」（毎日新聞・2006年4月29日）というもの。危険人物の規定が曖昧だと当然の反対論が出たが、実験は強行されてしまった。これから東京五輪に向けて、この手の監視はあちこちで歓迎されるだろう。この霞ヶ関駅の案件に対して反対声明を出した、田島泰彦らが組織する「監視社会を拒否する会」の申入書が現在でもWEB上で閲覧することができる。

「貴省（引用者注：国土交通省）は、この『顔認証システム』の実証実験を、昨年（2005年）7月7日に発生したロンドンでの地下鉄爆破事件を奇貨とし『テロ対策』の名目で行おうとするようですが、ロンドン市内50万台もの監視カメラ設置にもかかわらず事件が起きたこと、事件直後にブラジル人男性が犯人と誤認され警察に射殺される事件が発生したことなどを直視すれば、『顔認証システム』が、『テロ対策』として有効性を持ちえないことは歴然としています。いわゆるテロをなくすためには、何よりも、それが発生する真の社会的背景や原因を改善、解消するよう努めることこそが先決であると考えるものです」との弁は、東京五輪に向かう中で急いで作りたがる監視社会の前に、今一度認識され直されるべきだろう。

この大阪ステーションシティでの実験は「ただちに映像が消去されるのだから、防犯目的では無い」という前提。ＮＩＣＴはデータ集計によってわかるサンプルとして、「人流の時間毎データの集計」「滞留状況の時間毎データの集計」「集計データの統計処理」を挙げている。ちょっと言葉が硬いので解いてみると、要するに、どれくらいの人が来て、どのくらいその場所にいるかを流れで関連づけて把握することができる、ということ。つまりこれって、ポイントカード等と同様の、マーケティング用のデータでしかない。しかしここには、マーケティングの「マ」の字も出てこない。あくまでも「災害発生時の安全対策等」としか謳われていない。プレスリリースには「統計処理後のデータについては、施設管理者に提供し、災害発生時における迅速かつ適切な避難誘導等の安全対策検討への利用可能性について検証頂く予定です」とあるが、「等」「可能性」「予定」と特定を避ける言葉が重なっている。様々な可能性を持つ魅力あるデータを作る、というのはビッグデータビジネスの鉄則。リリースに添えられた「実証によって有効性を確認できた技術は、将来的に、大規模なデータ解析技術の活用が望まれる分野への展開を図っていくことが期待されます」に本音が滲んでいた。

普段からＮＩＣＴのＨＰをチェックしています、という大阪ステーションシティ利用客は皆無だろう。こうした新聞報道を目にしない限り、利用客は勝手に90台のカメラで撮影され、勝手に動きを観察されることになる。例えば、「押し寄せる便意を前にして、空いているトイレをそこらじゅうで探しまわるアナタ」が顔認証され、「想定外の導線で歩き回る一人」として認証されてしまうかもしれない。「鼻くそを自由にほじれない社会」とのタイトルは、いかにもインパクト狙いのタイトルだが、こうして大した告知も無しにおこなわれる顔認証実験が連なり、防犯と防災とテロ対策という命題があちこちから発動すれば、一挙手一投足を把握される社会はたちまち到来する。誰にもバレずに鼻くそをほじるのが難しくなるかも、というのはそこまで大げさな予測ではない。この手の議論を持ち出すと「やましいことがなければ大丈夫、反対するアナタは何か身に覚えがあるのでは」という意見が出るのは知っている。共謀罪の議論で散々聞かれた意見である。「勝手に見られている、勝手にデータ化されている」状態に対する気持ち悪さが増すのは、「大丈夫」と鈍感に許してしまう心構えを、あちこちで平然と見せつけられるからである。

今回の実験について、「本実証実験期間中は、実験対象区域において実験を行っていることが分かるよう周知する予定です」とあった。その後、プライバシーへの配慮に欠けるという理由で半年延長された後、50人規模に縮小して、実施された。憂慮、延期、規模縮小を経て、実験自体は実施されたのだ。あちらが反省しているわけではなく、どうすれば馴致してくれるかを図られただけだ。こういう監視強化の流れに慣らされてはいけない。

＊データが流出したものの、個人情報が特定されているわけではないのでご安心ください、といった言い分を定期的に見かける。デジタル化はトライ＆エラーがつきものと言わんばかりの対応だが、そもそもこちらは、トライを要望していない。要望していないのに、エラーの被害を受ける。新型コロナウイルスの感染が拡大し、緊急事態宣言やまん延防止等重点措置が出るたびに、私たちのスマホの位置情報によって繁華街の人出が算出され、報じられていた。もちろん匿名化されて収集されているとはいえ、個人の活動が、個人のあずかり知らぬところで活用されることに躊躇《ためら》いを持たなくなっていないか。

一体どこまで監視を許容するのか

監視社会は体感治安の増幅と親和性を持つ。重大事件が起きれば、「だからほら」と言い始める。2016年7月、相模原市の障害者施設で起きた殺傷事件を受け、その議論がたちまち容疑者の措置入院歴と監視強化の必要性に向かったのには違和感を覚えた。慎重に議論すべきはずが、事件の発生原因を急いで一つに絞りたがるいつもの悪癖を稼働させ、「○○が○○であれば防げたのではないか」という○○に答えを当てはめるための報道が重なった。

数多の人権を侮辱する発言を吐き続けた男による許し難い犯行を受けて、自民党・山東昭子参議院議員が「人権という美名の下に犯罪が横行している」と発言し、「犯罪予告者にもGPSを埋め込むことを検討すべき」としたのには、事件の受け止め方としてこうも歪んだ解釈があるものかと呆れに呆れたが、ネットを散見すると（それが世の比率だとは思わないが）頷く意見も少なくないようで驚いてしまう。

山東は自身のフェイスブックでも「再発防止に向けて、精神疾患のある措置入院の元患者に対しては、社会の監視を継続、場合によっては強化を考える時にきていると思わざるを得ません」と書き、「いずれにせよ私たちは誰もが安心して暮らせる社会、それぞれのハンディキャップを乗り越えて助け合う社会を目指していかねばなりません」と続けた。元患者への監視を強化すべきとする意向と、誰もが安心して暮らせる社会を目指すという宣言を並列できてしまうのは、彼女の「誰も」には「元患者」が含まれていないから、ということになる。そう長くもない文章の中で、自身の差別感情が漏れてしまっている事に気付けていないのが実に非道で、そして情けない。

東京新聞（２０１６年8月8日）が社説に、退院要件の厳格化や退院後の監視強化を求める風潮に対して、「軽々な制度の見直しは、精神障害者は危ないという偏見や差別を助長する」「犯罪予防という保安処分の目的で精神医療を利用し、ましてや精神障害のない人を拘束するのは許されない」という、まったく当たり前のことを書いているが、この当たり前の主張を、それなりに踏み込んだ意見として読み終えてしまう。それほどまでに今件では、「あの人は、〝普通の人より危なかった〟からこういうことになった」という空気感が充満していた。

事件の少し前、参議院選挙の公示直前、大分県警が、野党候補を支援する労働組合が入る別府地区労働福祉会館の敷地内に監視カメラ2台を設置し、出入りする人たちを数日間にわたって撮影していたことが明らかになった。労働組合の関係者がカメラを発見し、別府署に相談したところ、実は自分たちが監視していたんです、と告白したという。落語の小咄のような展開だが、少しも笑えない。

何よりその後に発表された県警の談話が酷い。「他人が管理する敷地内に無断で入ったことは不適切な行為であり、関係者の皆様におわび申し上げます」。この談話には、人をみだりに監視してしまったことへの言及が一切ない。大分の選挙区では、野党候補と与党候補がせめぎ合っており、実際にその結果を確認しても、民進党の現職候補がわずか１０９０票差で競り勝っている。たとえ些末な案件であっても、相手にとってネガティブな事案として撤ける何かを〝盗撮〟できれば、ひっくり返せたかもしれない票差だった。カメラ設置の理由について、県警は「個別の容疑事案で特定の対象者の動向を把握するため」（朝日新聞・8月4日）としたが、ちっとも説明になっていない。むしろ、いやぁでも警察に追われるような人がいたんでしょ、との悪しき心象を抱かせるようしむけている。

大分県警では2016年4月から「大分県街頭防犯カメラ設置促進事業」として、「新たに街頭防犯カメラを設置する自治会等に対し、防犯カメラ設置費用の一部を補助する事業」をおこなってきた。上限は1団体につき50万円で、対象経費の2分の1を補助するという。事業をおこなうにあたって作成した「防犯カメラの設置及び運用に関するガイドライン　～プライバシーの保護に配慮した防犯カメラの運用～」を読むと、「防犯カメラの設置が、犯罪の防止に有用であることは多くの方々が認識しています。しかし、その一方で、知らないうちに自分の姿が撮影され、目的外に利用されること等に不安を感じる県民の方もいます」という、今件を踏まえれば突っ込みどころしかない文章が見つかる。「誰にでもわかるように、撮影対象区域内、または付近の見やすい場所に防犯カメラを設置していること、及び設置者の名称を表示するものとします」との記載もあるが、お作りになった皆々様一同で熟読し直すことをおススメしたい。

解せないのは、これだけの逸脱した行動について、事の詳細を説明せずに、「個別の容疑事案で特定の対象者の動向」を追っていたとするだけで済まされたこと。その後、カメラを設置した署員らが書類送検されたものの、明らかにトカゲの尻尾切りである。「人権という美名の下に犯罪が横行している」とした山東の発言に代表されるように、権力を持つ側が「監視」の条件や強弱を自由気ままにコントロールしようとしていることに、あまりにも無頓着ではないか。

刑事司法改革関連法が成立し、通信傍受の拡大が盛り込まれた。捜査機関が電話やメールを傍受できる対象はこれまで4種類（薬物、銃器、組織的殺人、集団密航）のみだったところに、新たに9種類ものカテゴリが追加されている。その9種類とは「窃盗、詐欺、殺人、傷害、放火、誘拐、監禁、爆発物、児童ポルノ」である。これらの犯罪に繋がる可能性があると判断すれば通信傍受が可能となる。可能性で傍受されてしまうのだ。こうして監視する権限の拡大が甚だしい現在だというのに、相模原事件や県警盗撮事件後の反応を見ていると、ますます「○○の場合においては、監視されても仕方ない」という風土がジワジワ広がってきている。なぜ「あ、どうぞどうぞ、監視してください」と体を差し出すのか。自分は絶対に正義の側に居続けるという自覚を捨てるべきである。そんなものは些細なきっかけで反転する。「どうぞ監視してくれ」は誰にとっても稚拙な態度である。

＊コロナ禍で「見回り隊」なるものが結成された。感染拡大を招いているのはオマエらのせいだからなと名指しするだけでは飽き足らず、飲食店を巡回し、感染対策ができているかをチェックして練り歩いた。そもそも完全な感染対策など存在しないし、リスクを減らしながらも生活を維持するために、あるいは納入業者を守るために開け続けた飲食店を叱りつけた。それぞれの店の対応は異なったが、見回り隊にしろ、メディアの取材にしろ、お店同士が互いに監視させる仕組みを作り上げることによって、「オマエらのせい」を強めることに成功した。自分のところは監視されても大丈夫なんで、という意識が、他者を追い詰める。その具体例を見続けている。

マイナンバーを提供しません

さて、マイナンバーが導入されて、もうあれこれ便利になって最高だぜと興奮している人に出会ったことがないのだが、どこかにいらっしゃるのだろうか。是非、お会いしてみたい。まわりには一人もいない。フリーランスで仕事をしているといくつもの取引先からマイナンバーを教えろと封書が来たり電話がかかってくる。一度仕事をしただけの会社が委託先にしている会社から電話がかかってきて、数週間前に封書を送ったがどうなってんだ、という趣旨の内容をバカ丁寧に伝えてくるのだが、どうなってんだはこちらのセリフ。マイナンバーを提出するつもりはありません、と丁寧に電話を切る。

後戻りできなくなった国策に付き合うほどヒマではない。方々から送られてくるマイナンバー提出書類は一切返送していない。返送する必要などない。前例のないほどの規模で動いたマイナンバーは、トラブルが続く。まずは通知カードの配送が遅れた。日本郵便は２０１５年10月末から１カ月程度で５７００万世帯に配る予定としていたが、６５３万通が12月にずれ込むことになった。当初、千葉県四街道市の12月20日が最も遅れる地域とされていたが、高市早苗総務大臣（当時）は、月が改まった12月１日、「今月中に転居するなど住所が変わった場合は別枠と考えてもらいたい」（TBS News-i）と語っており、その年の内の配送は難しくなる可能性を示唆し、いくつかの特例を持ち出し始めた。高市は「配達が12月下旬までかかると、税に活用するために企業が従業員から番号を集める作業も厳しくなる」（11月13日・産経ニュース）とも語っていたのだが、予想以上に配送が難航した。「国民全員に等しく与えられる番号」というテーゼなどたちまち瓦解していたのである。

「マイナンバー」とはそもそも不可思議なネーミングであり、「ナショナルナンバー」とでも呼んでおくのが正確だろう。国家が個人を管理するための番号が張り巡らされれば、こちらからの書類申請などがしやすくなるのは当然のこと。しかし、その程度の利便性を上回る利便を国家が得る仕組みであるという基本はおさえたい。2015年9月3日に内閣府が発表した調査結果（全国3000人対象）で、懸念を持つ点として「個人情報の不正利用（38・0％）」、「個人情報の漏洩（34・5％）」との回答が出ているが、そもそも「個人情報の利用」と「個人情報の確保」を進める施策について、個人がまったく拒否できない状況を強いてきたことから懸念を持つべきではなかったか。

我が家にも通知カードの一式が送られてきたが、その中には「マイナンバー（個人番号）のお知らせ　個人番号カード交付申請のご案内」というパンフレットが入っていた。便利になるのか、それともやっぱり危ないのか、情報が錯綜し、いまいち全体像が理解できていない人に向けた解説書の役割を果たすパンフレットだが、ポケモンGOのごとく軽やかに人様の情報をゲットしたい人たちは、不都合な部分をさらりと流してきた印象を持った。いくつか拾っておきたい。

安保法案の議論が盛んだった頃にちゃっかり成立したのが「改正マイナンバー法」。施行される直前に国民の多くにバレないように利用範囲を拡大した異例の展開なのだが、この改正により２０２０年までの導入が検討されていた「生体認証の導入」が前倒しで決まり、ＩＣチップに記録される写真で顔認証ができるようになった。パンフレットには、カードに顔写真が記載されていることについて「顔写真付のため悪用は困難」と安全性を高めるアイテムかのように記載されているが、悪用されないから安心ではなく、その顔写真がどのように使われるのか、説明は尽くさない。

その辺りへ議論が及んでいないからこそ「免許証と変わらないじゃないか」といった認識すら出てくる。現時点では本人確認カード程度の意味合いでしかなくとも、徐々に運転免許証・医療免許・教員免許・学歴証明・健康保険証などと一体化されていくし、プライバシー性が極めて高い医療分野や預金口座の情報とも紐付けされていく。

この制度拡大について、パンフレットでは極めてシンプルな記載で済ませている。「平成29年1月〜　国の行政機関の間で、情報連携を開始」、「平成29年7月〜　地方公共団体等も含めた、情報連携を開始」とだけ書かれており、詳細は書かれていない。「情報連携を開始」とはさすがに説明が不足している。申請した後で、知らぬ間にじわじわ範囲が広がっていくのだ。

セキュリティ面への不安が高まっているためか、安全面への配慮については丁寧な記載が目立つ。しかし、ＩＣチップには「必要最低限の情報のみ記録」され、「『税関連情報』や『年金関係情報』など、プライバシー性の高い情報は記録されません」との記載は曖昧（傍点引用者）。そして、「現時点では」が足りない。日本年金機構の個人情報流出が起きたことをもう忘れてしまったのか。あの事件の存在が教えてくれたのは、外部の不正利用と同様に、内部の不正利用を防ぐには限界がある、ということ。万人が善人である前提でのシステムを信じるなんて、疑い深い現代人らしからぬ態度ではないか。世のイメージを悪い方向に導かないための応急処置として、改正マイナンバー法では、日本年金機構にはマイナンバーを使わせないという修正が加わったのだから露骨である。あそこヤバいって思われているから外しとこうぜ。外しといたぜ。だからこっちは安全だぜ。安全なはずがない。

　ＤＶ被害に遭うなど、かつての配偶者から隠れるように暮らしている人からしてみれば、このマイナンバーの存在は重い。我が家には、世帯主である私宛の書類に、妻の分の通知カードも同封されてきたが、例えばＤＶ夫から逃げるように暮らしている女性がいた場合、そしてその女性が働いている勤務先からマイナンバーの提示を求められるなど、番号を把握すべき事態が生じた場合、再度連絡をとる必要性が生まれることもある。あるいは、自分の場所や情報が把握されてしまうのではないかと、身の危険を感じるケースも想定される。

　パンフレットには、枠外に小さく「ＤＶ等被害者などの方は、居所の市区町村に来庁して申請を行うことにより、個人番号カードの交付を受けることができます」と書かれているが、本来は通知カード送付の前に、この手の情報通知を十分に施しておくべきだった。DV被害者を意識して、通知カードの送付前に「居所情報」を登録すれば住民票とは別の住所に送付できる、という措置もとられていたが、この居所登録は、2015年8月24日から9月25日までのわずか1カ月間しか受け付けられなかった。それは決して十分な期間とは言えない。

「よりよい暮らしへ」、「『メリット』いっぱい」、「ぜひ申し込んでね」……ポップな言葉が並ぶパンフレット。これから拡大していく利用範囲について、このパンフレットではほとんど触れられていない。憲法13条が保障するプライバシー権を侵害しているとして、一斉提訴も起きている。住基ネットとは違い、マイナンバーは行政だけではなく企業も扱うことになる。送付する時点でこれだけのトラブルが生じているマイナンバー、「とにかくスタートさせてしまえ」との意気込みが何とも危うい。

ある日の朝、新聞を開くと、マイナンバーカードの取得を促す政府広報が掲載されている（2017年2月14日・朝日新聞）。女優・波瑠が、この春から社会人になる人たちを意識して「新生活のスタートに！マイナンバーカード」と破顔している。あたかも賃貸マンションや家具や家電の広告を思わせるハイテンションだが、新生活のスタートにマイナンバーカードは必須ではない。百貨店のメンバーズカードのように「初回発行手数料は無料！」との文字も躍るが、カードの申請者数が伸びず、焦りを覚えていることだけが伝わる。

波瑠と一緒に登場しているマイナンバー啓蒙キャラクターの「マイナちゃん」（リクルートスーツを着ている）に「新生活で慌ただしくても大丈夫！」「バイトする時も！」と言わせているのだが、慌ただしい時には他にすべきことがいくらでもあるし、バイトする時にもカードは必須ではない。マイナンバー推進にあたって「あなたに、いいコト。みんなに、いいコト。」とのキャッチコピーを使い続けているが、新生活が始まり社会人になると、ちょっとした偏屈な先輩が、そういう口実を真っ先に疑うべし、と否応なしに教えてくるので、宣伝文句として効果的とも思えない。

ちなみに、ウサギの「マイナちゃん」は、２０１４年に総数７２３件という実に微妙な数の応募から決まった名前なのだが、その選定理由について、所轄の内閣府大臣官房番号制度担当室は「『マイナンバー制度』について、より多くの方々に関心を持っていただくために、マイナンバーを連想しやすい名称であり、ロゴマークのウサギの親しみやすさが表現されている」としている。ウサギの目が数字の「1」になっているのだが、「11」と並ぶ、笑ってない両目がなかなか信用できない。

波瑠が出演していた2パターンのＣＭを文字起こししてみる。

【身分証明書篇】「マイナンバーカードは身分証明書になります。だから、レンタルショップでもOK！銀行で口座を作るときもOK！さらにコンビニで住民票もとれます。マイナンバーカード、申請してね！」
【新生活応援篇】「新生活を始めるときにもマイナンバーカード！就職の時もマイナンバーの提示と本人確認がこの1枚でOK！バイトする時もOK！新生活で慌ただしいときこそ、マイナンバーカード、申請してね！」

マイナンバーは、図書館の利用カードとして使用される動きすらあり、とにかくあらゆる情報を紐付けすることでその価値を増幅させようとしているが、繰り返し言うならば、これはやっぱり「あなたに、いいコト。みんなに、いいコト。」ではなく、「国に、いいコト。」なのである。しかし、CMを見れば、あたかも個々人への利便のみに繋がると見せつけている。こういった広報活動がいよいよ盛んになっている。真っ先に「レンタルショップでもOK！」を言わせる理由は明らかである。親しみやすさだ。

私は、マイナンバーをPRするために甘利明社会保障・税一体改革担当大臣（当時）が会見で、「ゲスの極み乙女。」の歌詞を引用しながら「私以外私じゃないの　当たり前だけどね　だからマイナンバーカード」と口ずさんでいたことを忘れない。あれからそれなりの月日が流れ、「甘利明」「ゲスの極み乙女。」「マイナンバー」とのキーワードを並べて、それぞれの苦難を頭に浮かべ、その共通項を探すとしたら、唯一の解は「情報は漏洩する」だろう。

波瑠は「持っていれば、みんなにいいコトがある。いいコトが広がっていく」とメッセージムービーで言う。そんなことはない。いいコトが広がる前に、もう情報が漏れちゃっている。個人情報保護委員会が2016年10月に発表した「平成28年度上半期における個人情報保護委員会の活動実績について」を確認すると、昨年4月〜9月の間だけでも、49機関・66件の漏洩が確認されている。民間事業者が起こした2件の「重大な事態」について、具体的に明記されている。

【ケース1】「民間事業者において、従業員等約400人分のマイナンバーが記載された扶養控除等申告書を顧問税理士に郵送するために車で郵便局へ移動途中、10分ほど車を離れたところ、車両の窓ガラスを割られ、当該申告書が入った段ボールケース等を持ち去られた事案」

【ケース2】「民間事業者において、再委託先の担当者が、情報システムに記録されていた社員情報（特定個人情報を含む。）約400人分を誤って削除した事案」

とある。ケース1など、あたかも『あぶない刑事』のような光景が想起されるが、本格稼働を前にしてこの手の事案が複数生じているのである。当初、マイナンバーの政府広報CMを担当していたのは上戸彩だ。当時のCMを確認すると、上戸には「マイナンバーって知ってる？　マイナンバーは自分だけの番号。自分専用の番号で色々便利になっていく。」と言わせている。「色々便利」とは曖昧すぎるが、上戸がそう述べた後で、マイナンバーの用途が3つほど図示される。それが「行政手続が簡単に」「行政手続を正確に」「給付金などの不正受給の防止」である。

そう、これが当初伝えられていたマイナンバーの利点だった。要するに利点の多くは、「みんな」への利点ではなく、管理する側の利点である。行政のためのシステムだったわけである。上戸が担当していた頃には、あんまりよく知らない人になんとなく提出させるための「レンタルショップ」や「バイト」といったシチュエーションは使われなかった。しかし、申請が伸び悩み、担当が波瑠に切り替わってからというもの、日常生活に必要不可欠とのテンションを必死に高め、「新生活のスタートに！」「紅葉狩りにはマイナンバー！」と珍奇なことを言い始めたのだ。そのうち、「夏フェスにはマイナンバー！」と言い出しそうな勢いだし、そんなことを伝えたら、うんうん、いいかもしれない、と身を乗り出しかねない。

＊「夏フェスにはマイナンバー！」「紅葉狩りにはマイナンバー！」と言い出しそうな勢いだ、と茶化しながら締めくくっているが、すっかり「茶化し」ではなくなっている。一向に

取得者が増えないマイナンバーカードについて、保険証としての利用を今年の3月末の時点で開始しようとしていた。ところが、一部の医療機関で患者の情報が確認できないなどのトラブルが多発し、本格運用が見送られた。続いて、導入されようとしているのが運転免許証とマイナンバーカードの一体化。

とにもかくにもマイナンバー。5000円分のマイナポイントをつけるんでカードを作ってくださいと言い続ける。民間企業のポイント事業は当然、経営判断によって捻出できるポイントが異なってくるわけだが、国家事業はやり放題。ポイントつければ作ってくれるでしょと期間を延ばしてみせる。それでも取得者が増えない。明らかなる愚策でも、その気になってくれるまで金をかけて継続する。あたかも、鳴り物入りでデビューし宣伝費を投じたもののブレイクしなかったミュージシャンのようだと思うのだが、そういうミュージシャンは、残酷なほど、なかったものとして消えていく。だが、マイナンバーは、どれだけブレイクしなくても、莫大な費用が投じられる。ブレイクするまで血税を。あまりにもおかしい。

子どもにすがる消費税増税CM

公的なCMといえば、マイナンバー以前に放送されていた消費税の政府広報CMも引っかかった。起用されていたのはわずか10歳の子役、芦田愛菜だった。

「動き出しています、社会保障！」

「子育て、医療、年金……消費税の引上げ分は社会保障に着実に使われています。」

「安心をずっと。元気をもっと。」

消費税増税引き上げ判断に向けて乱れ打ちを始めたCMに登場していた芦田愛菜。10歳と言えば、台形の面積を算出し、小数点×小数点を計算し始めたくらいの年齢だが、そんな小学生に「引上げ分は社会保障に！」と訴えさせて、消費税増税の理解へと至らせようとする強引さ。

壁に掲げられた写真やパネルを、後ろで手を組む「美術館鑑賞スタイル」で見て回り、頷く芦田愛菜。小さな我が子を囲んで微笑む夫婦の写真や、車いすの男性を押しながら笑みを浮かべる看護師さんなどの写真が並ぶ「美術館」を歩くこのCMの正式名称は「成果のギャラリー篇」（政府広報HPより）だという。

子どもがギャラリーで成果を確認するという奇特なシチュエーションはCMのみならず新聞広告でも利用されており、全国70紙に掲載された広告では、今度は前に手を組んだ芦田愛菜が美術商のごとく、写真とパネルを紹介している。10歳の女の子いわく「みんなの安心が、ひとつずつ、実現し始めています」とのこと。

この美術館には「医療機関などと連携し、認知症の方を地域で見守る体制を強化」といった成果のパネルも飾られている。お言葉を返すならば、地域医療・介護総合確保推進法を成立させて、介護サービス利用料の自己負担割合の1割を一定以上の所得がある人について2割に引き上げたり、特別養護老人ホーム施設に入れる患者を要介護3以上に限定したタイミングでCMが投じられていた事実を添えれば、「看板に偽りあり」ならぬ「ギャラリーに偽りあり」という気にもなる。

美術展において、どの作品を真っ先に見せるかは展示のコンセプトを伝える重要な1枚。CMで芦田愛菜が真っ先に見る「ギャラリー」は「保育の受け皿を約19・1万人拡大」。待機児童問題はいつだって有権者の関心が高いと見込んでのことだったのだろう。このギャラリーCMが始まる少し前に、麻生太郎財務大臣は、消費税が8%にとどまった場合、待機児童解消を含め少子化対策が困難になると言い始めていた。もうよくわからない。紐づけパラダイス。待機どころか日本の誰よりも働いてきた児童・芦田愛菜にこれを訴えさせるのって、もはや皮肉でしかない。

安達祐実が『家なき子』で「同情するなら金をくれ！」と叫び、流行語大賞に選ばれたのは1994年。この年は、細川政権が3%だった消費税を「国民福祉税」という名目に変え7%に引き上げようとした年でもある。低所得者層ほど負担が高まる逆進性を持つ消費税を引き上げるのは、まさに安達祐実演じる相沢すずにしてみれば

「同情もなければ金もとるのか！」という窮地だったに違いないのだが、非難ごうごうの構想は翌日に撤回された。

子役に「同情するなら金をくれ！」と叫ばせたことは社会に強いインパクトを与えたが、それに匹敵するほどの議論を呼び込んだのが、芦田が出演していたドラマ『明日、ママがいない』である。養護施設で育つ子どもたちが、親や施設職員を苛烈に責め立て、一方の施設職員も「お前たちはペットショップのイヌだ」と罵り合うドラマは、実際の養護施設からクレームを受けたこともあり、国会で議論されるほどの事態に発展した。

このドラマで、赤ちゃんポストに預けられたがゆえに「ポスト」という非道なあだ名をつけられた子どもを演じていたのが芦田。田村憲久・厚生労働相（当時）が「入所している子に自傷行為があったとの報道がある」と問題視したドラマの主役に、「保育の受け皿が拡大」とCMで訴えさせたのは、無自覚なのか、はたまたそれくらいの効果があったと訴える戦略なのか。当然だが、このCMに出演する子役自体に一切の責任はない。世の中の万事を達観し始めた感のある彼女には「元気をもっと。」と投げかけたい気持ちもあるが、彼女自身を責めてはいけない。責められるべきは、こういった広報活動に子どもを使っておこうという態度であり風潮である。

前に紹介した本間龍『原発広告と地方紙』を読むと、国の広報活動、その空気作りにいかに子どもが使われてきたかを知ることができる。福島県原子力広報協会の広告では両手で輪っかを作って双眼鏡に見立てた小さな女の子に「大きなひとみで原子力発電所の安全をいつも見つめています」（1986年10月・福島民友）と言わせたし、ゴーグルをおでこに付けて浅瀬の海ではしゃぐ子どもたちに「この美しいふるさとを、百年先へ」という東北電力の広告（2010年8月・福島民報）等々、子どもの笑顔や無邪気さをメッセージに使う広告戦略は枚挙に暇が無い。

お金を扱うCMでも、政府広報と民間企業では子どもの扱い方が違う。民間企業では、子ども自身に金融プランの説明をさせるよりも、子どもが自分の貯金箱を銀行に持っていく「はじめての貯金編」（三重銀行）のような例がほとんどだ。消費税増税含め毎度の増税は「いや、まだお金が必要なんですよ」を繰り返す「消費者金融」的措置だが、では、消費者金融のCMに子役が出てきて「審査無用、すぐに借りられます」と言われて、その消費者金融を信じる人はいないだろう。

消費税CMはそれくらい無理があった。国立社会保障・人口問題研究所の調べによれば「理想の子ども数をもたない理由」への回答で圧倒的に多いのは「子育てや教育にお金がかかりすぎるから」とある。つまり、増税は、少子化解消のハードルを直接的に引き上げる。子どもを使った子ども騙しを大人が繰り返す……消費税増税の啓蒙を子役に任せた判断は、いくつもの見地において間違っていると思うが、子どもを使っときゃいい、は根強いままである。

＊官公庁がCMを流しまくってどうにかする、という姿勢を見かけると、果たしてそんなものでイメージを切り替えることなどできるのだろうかと思うのだが、たとえば、2021年3月5日、首都圏1都3県に出ていた緊急事態宣言を2週間延長すると宣言した会見で、記者から「2週間で十分数値を落として、宣言を解除し、その後のリバウンドも抑止するという科学的根拠はありますでしょうか」と問われた菅義偉首相は、「これからテレビコマーシャルだとか、SNS、こうしたことを通じて、また、動画ですよね。できる限り、若者を始めとする幅広い層に対して宣伝を、コマーシャルを、従来より倍増ぐらい、そういう思いで徹底のお願いをさせていただきたい、こういうふうに思っています」(首相官邸ウェブサイト)と答えた。それ、科学的根拠じゃない。

結果、コマーシャルは増えたものの、感染者数は当然だが減らなかった。なにかあれば、CMを打ちまくる。消費税増税もマイナンバーも新型コロナも、「えっと、うーんと、そうだなぁ、どうしようかなぁ、そうだ、CMを打とう」と動き出す。この軽薄な着想が続く。それでなんとかなると、本当に思っているのか、それとも、「やってる感」を優先しているのかわからないが、いずれにせよ、なんかあったらCMを、が続く。

「安楽死」を〝お涙頂戴〟の新ネタにするな

オレゴン州に住む29歳のアメリカ人女性、末期の脳腫瘍と診断されたブリタニー・メイナードさんが命を絶ったのは、２０１４年11月１日。投与された薬を飲み、この日に死にますと前もって宣言した映像は、日本のテレビでも繰り返し放送されていた。法的に安楽死を認めるか否かが州ごとに分かれているアメリカでは彼女の判断に対して様々な議論が巻き起こっていたようだが、自分が見た限り、テレビでは、この女性が宣言して亡くなるまでの経緯のみを伝えた。議論ではなく、経緯報告である。

彼女が亡くなった後に『週刊文春』が読者に対しておこなった「安楽死・尊厳死」についてのアンケート結果に驚く。「安楽死」「尊厳死」の両方かいずれかに賛成する人はなんと87・4％、両方に反対するのはわずか10・2％だった。アンケート企画自体がブリタニーさんの一件から導かれたものであるとはいえ、少なくとも尊厳死について、約９割もの人が賛成しているとの結果が出た。

やや大雑把に分けると、自殺幇助による死を「安楽死」、延命治療の中止による死を「尊厳死」と呼ぶが、ブリタニーさんは医師が薬物を処方して恣意的に死に至らせたから「安楽死」。テレビ報道では、この区分けすら丁寧にせずに、「余命幾ばくかの人が、自ら死を選んだ」という事実をセンセーショナルに伝えていた。「愛する友人たち、そして家族の皆さん、さようなら」と言い残し、家族に見守られながら逝ったブリタニーさん。彼女の判断に対する善し悪しではなく、ひとまず言えるのは、この案件を伝える報道には、明らかに状況説明が足りていなかった、ということ。彼女は脳腫瘍の中でも最も悪性な神経膠芽腫を患っていたが、その詳細を伝えるでもなく、ただただ「自ら死を選んだ」と簡略化することで、ひとつの「お涙頂戴」として処理されていたように感じた。

2013年、麻生太郎財務大臣が、社会保障制度改革国民会議の場で、終末期の医療費の高騰について、「死にたいと思っても生きられる。政府の金で（高額医療を）やっていると思うと寝覚めが悪い。さっさと死ねるようにしてもらうなど、いろいろと考えないと解決しない」と発言して問題視された。翌日にすぐさま撤回したが、その言い訳も「私個人の人生観を述べたもの」としており、いつまでも延命治療されてはこれからの高齢化社会で医療費がパンクしてしまう、という懸念を堂々とバラまいた。石原伸晃・元環境大臣は、『報道ステーション』に出演した際に、社会保障の話の延長で「尊厳死協会に入ろうと思っている」と発言、これも同様に問題視された。

彼らがなぜ尊厳死の推進と膨れ上がる医療費を直接くっつけて語るのか。そこには政府が推し進めようとしている尊厳死法制化の狙いがあることくらい気付いておきたい。「お涙頂戴」に揺さぶられたまま、議論はするすると進んでしまう。

児玉真美『死の自己決定権のゆくえ』（大月書店）に詳しいが、２００９年にカナダで「ケイリー事件」が起きた。遺伝性疾患のジュベール症候群を患ったわずか生後２カ月のケイリーが、心臓病の女児の心臓ドナーになることが決まり、人工呼吸器を取り外すことになった。つまり、ケイリーの親はケイリーの死を受け入れたのだ。しかし、呼吸器を外したところ、なんとケイリーは自力で呼吸を続けた。メディアはこれを盛んに「奇跡」だと盛り立てた。

実は人工呼吸器をつけていたケイリーの症状は、睡眠時無呼吸症候群によるもので、成長するにつれて解消するケースが多かったのだ。しかし医師は、ジュベール症候群を充分に理解していなかった。医師から「助かることはない」と言われてきた父親は憤るも、マスコミを味方にすることができなかった。なぜならば、マスコミは「奇跡」と謳った以上、本来死に至るはずだった重篤患者のケイリーが奇跡的に息をしているというストーリーを継続したからである。

一度「重病」と決め込んだら「重病路線」で番組を作り、一度「奇跡の回復」を遂げたならば、それを「奇跡路線」として番組を作る。人の命を路線で語るな、と思う。

感動へ持ち込むフォーマットが強固に定まっていく。それは、病気の正しい理解うんぬんを度外視して視聴率的に効果てきめんなのだろう。旧知の書籍編集者からこんな話を聞く。見知らぬテレビ局のドラマ制作班から社に電話がかかってきて、原作となる小説やノンフィクションを探しているという。条件は「病気モノ」。〝恒例の夏の放送〟まであと数カ月しかないが、単発ドラマに使いたいという。人の涙をインスタントにさらいたい。しかし、脚本を判別している時間がない。制作班は各出版社に「病気モノ」を求める電話攻勢をかけていたのだろうか。結果、放送されたドラマは末期がんで余命幾ばくとなった妻を支える家族の物語だったという。狙い通り「病気モノ」を釣り上げることができたということになる。

以前、ALS（筋萎縮性側索硬化症）についての取材をしたときのこと、当人の周囲の人たちは皆、個人の死の問題に対して国が法律を定めて枠決めすることに懸念を表明していた。尊厳死が法制化すれば、難病患者に対して「なぜそこまでして生きているのか」という目線は確実に強まる。尊厳死推進派は、尊厳死を認めることで弱者にどんどん適用されていくと考えるのは杞憂であるとするが、麻生大臣の発言からはその空気を高めて医療費を抑え込みたいという狙いが見え透けてしまっている。

こういった空気と真っ先に向き合うことになるのがメディアだ。ALSへの支援を促すアイスバケツチャレンジでは、難病支援のために方々のセレブたちが氷水を入れたバケツを頭からかぶる映像が、繰り返し流された。一概に区分けすべきではないと思いつつも、ブリタニーさんの判断とALS患者の支援ムーブメントは相反している。「命を終わらせたい」と「生き延びたい」だ。しかし、「夏までに病気モノよろしく」的なテレビの文脈の中では、この二つは完全に同化してしまう。この同化に慣れてしまうと「自ら死を選ぶ」は、テレビ的に新しい「お涙」になるのではないか。それは、死を選んだ人にとっても、選ばなかった人にも、ただただ失礼な行為ではないか。

＊2020年、ALSの女性に対する嘱託殺人容疑で医師2人が逮捕されたが、それを受けて、ALSを「業病」とした上で、殺害に及んだ医師を擁護し、「武士道の切腹の際の苦しみを救うための介錯の美徳も知らぬ検察の愚かしさに腹が立つ。裁判の折り私は是非とも医師たちの弁護人として法廷に立ちたい」とツイートしたのが石原慎太郎だった。業病とは、「(前世の悪事の結果であると考えられていた)難病」(新明解国語辞典)を指す言葉だが、その形容を批判されると「ALSを難病とせず業病と記したのは偏見によるものでは決してなく、作家ながら私の不明の至りで誤解を生じた方々に謝罪いたします」と弁明した。

偏見ではないらしい。あるいは、松井一郎大阪市長が「維新の会国会議員のみなさんへ、非常に難しい問題ですが、尊厳死について真正面から受け止め国会で議論しましょう」とツイートし、案の定、日本維新の会・馬場伸幸幹事長が「尊厳死を考えるプロジェクトチーム」の設置を発表した。人が殺された事件を受けて、その行為を擁護したり、尊厳死を真正面から受け止めようと言い出したりするのである。まさしく「新ネタ」になってきている。

「ダウン症が増えました」という記事の暴力性

ダウン症をめぐる二つの報道を立てつづけに見かける。問題提起のほとんどを早速済ませてしまうと、どちらの報道記事も、媒体として「そもそもダウン症自体をどう考えるのか」という視座がすっかり抜けており、これこれこういうことがありました、と報告しただけでサラリと終わらせている。障害や生殖医療をめぐる問題に対して意見を一本化ないしは絞り込むのは容易ではないのはわかるが、偏見とは、こうして前提を述べずに宙ぶらりんにさせておくことで、すくすく育ってしまうのではないか。前提を丁寧に議論することを、堂々と「面倒臭い」と言い張るようになった。

長野県の公立小学校の入学式で、ダウン症の男児が外れた集合写真と加わった集合写真の2種類が撮影された。「校長が男児の母親に対して提案した。校長は『配慮が不足していた』として男児の両親におわびした」(2014年4月12日・朝日新聞デジタル）という。この謝罪のくだりだけを読めば、あたかも共に入学する生徒達からダウン症の子どもだけを外して写真を撮ったかのように読めるが、このダウン症の男児は特別支援学校に入学し「地域の児童との交流の一環で地元の小学校の授業や行事にも月に1、2回参加する」生徒だった。つまり、この小学校に毎日通うわけではない。現場でどのようなやり取りがおこなわれたかにもよるけれど、物事の伝わり方のベクトルが少しでも変わっていれば、「男児も私たちの仲間なので、彼を加えた形でも撮った」とすることもできたはず。上手い下手の問題にするべきではないが、現場での伝わり方も悪かったのだろう。

２０１４年4月19日の朝日新聞朝刊に出た「ダウン症児の出生　15年で倍増」との記事（朝日新聞デジタル）は、ダウン症の当人や親たちへの配慮をすっかり欠いた「ダウン症は生まれないほうがいい、中絶するべきだ」を前提に敷いた記事に読めた。ダウン症を理由にした中絶数は95〜99年と比べると05〜09年で１・９倍に増加しており、２０１１年の出生数に当てはめると約２３００人のダウン症の赤ちゃんが生まれる予定だったが実際には約１５００人、その差の約８００人の一部が中絶したのではないかとの〝推計〟を出した。高齢出産はダウン症の可能性が高まる、だから高齢出産は危ない、と直接繋げる意見を頻繁に見かけるし、それは確かに事実に即してはいるのだが、その事実を伝えるだけで済ます度に、ダウン症の方々を横暴に取り扱ってしまうことになる。

横浜市立大産婦人科医の平原史樹は、ダウン症についてこう述べている。「人口の約0・1%がダウン症であるが、生物学的にはダウン症の子が一定数産まれることが自然で、それがなければ人類は何百年と続かない。それが生物の大原則。そうであれば、人類を存続させるために産まれてくれたダウン症の子を社会が支えるのは当然なのではないか」(小林美希『ルポ 産ませない社会』河出書房新社より)。17日の朝日新聞オピニオン欄で、自身もダウン症の子を持つ東京都職員・乙津和歌が新型出生前診断について充分な議論が深まらぬまま、「新型診断が一般的になり、ダウン症がある人の人数が人為的に減ってしまうことで、社会の包容力を衰退させ、私のような幸運なつながりをも奪ってしまうことになってはならない」と書いた。

公益財団法人日本ダウン症協会は、新型出生前診断が商業ベースで広がっていこうとすることへの懸念を、日本産科婦人科学会宛の要望書の中にこう記している。「マスコミ等では今回の診断技術が一般検査と同等であるかのように紹介される事態を招いてしまっています。こうした流れが、やがては産科領域のみならず、他医療領域でも安易な遺伝子診断の実施につながることを当協会は強く危惧しています」。

忘れがちだが、新型出生前診断はあくまでも「臨床研究」の位置づけで始まっている。この出生前診断の指針を発表した日本産科婦人科学会・小西郁生理事長は、「倫理的に考慮されるべき点のあることから、まず臨床研究として、認定・登録された施設において慎重に開始されるべきである」(日テレ『NEWS24』)としたが、その後の報道は、出生前診断を受け陽性と判定された9割が中絶をした、との記事に代表されるように、この診断がひとまず「研究」として開始されたとする事実は猛スピードで忘れ去られている。

この要望書を読んで知ったのだが、1999年に議論された「母体血清マーカー検査」(採血により血液中のタンパク質の濃度を測定し、先天性異常の〝確率〟を調べる)に関する見解として厚生労働省は、医師が検査を希望する妊婦や配偶者に対して以下のような説明をするべきとした。この3点は、今改めて問われるべきではないか。

1：障害をもつ可能性は様々であり、生まれる前に原因のあった(先天的な)ものだけでなく、後天的な障害の可能性を忘れてはならないこと

2：障害はその子どもの個性の一側面でしかなく、障害という側面だけから子どもをみることは誤りであること

3：障害の有無やその程度と本人および家族の幸、不幸は本質的には関連がないこと

「ダウン症児の出生　15年で倍増」の記事にはこの3つの視点が全て欠けていた。障害を持って暮らす子どもたちへのまなざしはちっとも用意されていなかったし、障害

の有無を容易に幸・不幸にリンクさせる、配慮の無いテキストだった。これから妊娠・出産を控える方の不安の解消と技術の発達はリンクする。しかし、生を受けて暮らしているダウン症の人たちにとって、その発達は今のところ負荷にしかなっていない。このバランスの悪さを更に広げるかのように、報じる側は「これから控える」側の安堵ばかりに乗り、「すでに暮らしている」側への負荷を取り込もうとしない。明らかに調合を怠っている。

20日の朝日新聞の投書欄に55歳主婦の投書が載った。ダウン症の子どもを持つ知人の女性が合唱団への入団を遠慮していると、その合唱団の指導者が「こちらの方が頭を下げて、入ってとお願いしたいくらいです。お嬢さんが入団することで、いたわる心やたくさんのことを、周りの子どもたちが学べるからです」と答えたという。「教育とは『共育』『協育』」と締めくくるその投書にだけ、温かいまなざしがあった。

＊出生前診断についての議論がなかなか熟さない。それはつまり、生命倫理についての議論がいつまでも深まらない、と同義だ。深まらせないようにしているのではないか、との見方もできる。政府が「少子化」を「国難」に位置付けた時期さえあるわけだが、出生前診断によって、主体的に産む側が選べるような仕組みを整えることで、少子化解消のアイテムのひとつにできるかも、と考えているのではないか。障がい者といかに共生していくかよりも、

そうならないように整えるので産んでください、という圧がそこにはないか。

ニール・ヤングがスターバックス不買運動を起こした理由

ある日、ニール・ヤングの公式ウェブサイトを開くと、いきなり「GOODBYE STARBUCKS!!!」との宣言が飛び出した。そして、「私はこれまで毎日列に並んでラテを買ってきたが、昨日が最後になった」と続く。遺伝子組み換え食材（GMO）の使用を明記する制度を条例化したバーモント州に対して、アメリカのバイオ化学メーカー・モンサントが訴訟を起こしたところ、ニール・ヤングは、このモンサントの訴訟にスターバックスが加わっていることに対して声を上げたのである。「モンサントにしてみれば私たちが何を考えていようが構わないだろうが、一般社会を相手にしている会社・スターバックスはそうはいかないだろう。この件をしっかりと注意喚起することができれば、スターバックスが訴訟を支持するのを止めさせることができるかもしれないし、その他の企業に対してもプレッシャーをかけることができる」と強い言葉で投げかけている。

モンサントという企業を知るには、日本でも2010年に公開されたドキュメンタリー映画『フード・インク』が助けになる。「今やスーパーの加工食品の70％に遺伝子組み換え素材が使われる」と指摘する映画が映し出すのは、空中から多量に撒布される農薬や、ブクブクに太るだけ太らされて数歩歩くだけで足が折れてしまう鶏が密集する飼育小屋。映画自体、性悪説に貫かれすぎているきらいはあるものの、大量生産・低コストの裏側で隠されるリスクを追うこの映画で、モンサントは徹底的に叩かれている。

モンサントは政府機関と繋がっているとも言われ問題視されてきたが、「遺伝子組み換え技術に反対する方々は、モンサント・カンパニーや他の会社が政府に対して不適切な行き過ぎた影響力を行使して、遺伝子組み換え技術に有利な法制度や政策を採用させていると非難しています。しかしそうしたことはありません」と牽制してきた。

スターバックスのCEO、ハワード・シュルツは、政治的なスタンスをハッキリと表明する経営者として知られてきた。2013年にはCNNの会見で、店内に銃を持ち込むのを自粛して欲しいと訴えたことが話題となった。銃の所持を支持する団体が、これまで銃の店内持ち込みを認めてきたことに賛辞を送ると、逆に銃の規制を訴える団体がスターバックスに対して持ち込み禁止を訴える署名活動を開始。それに対してシュルツは「これは禁止ではなく、礼儀作法などを考慮したお願いである」（CNN.

co.jp）としながらも、銃の持ち込みについて具体的な意見を表明したのである。

ニール・ヤング自身、スターバックスの経営方針には共振している。「スターバックスはこれまでＬＧＢＴや労働条件について進歩的であった」と評価した上で、だからこそ、「最たる悪党であるモンサントと組んでいることに失望した」と記した。サイトで署名を募り、スターバックス側に提出する意向を明らかにし、田舎町が寄り合った人口わずか60万人の小さな州・バーモント州の英断を称え、支持を訴えた。

映画『フード・インク』では「こんな食事が体に悪いのは知ってるけど野菜1個よりバーガー2個の方が安い」と言いながらハンバーガーに食らいつく若者が映し出される。家庭の貧困や財政悪化が食事のジャンク化に直結する姿は、堤未果『ルポ貧困大国アメリカ』（岩波新書）に詳しい。学校の給食すら「1週間のメニューはジャンクフードのオンパレードだ。ハンバーガーにピザ、マカロニ&チーズにフライドチキン、ホットドッグ……とても子どもたちの健康を考えて作り出されたものとは思えない」とある。政府から学校への援助予算が削減され、給食を無料でまかなえなくなった学校が、マクドナルドやピザハットといった大手ファーストフードと契約することすらあったそう。

9・11同時多発テロの後、ラジオ各局で放送禁止となっていたジョン・レノン"Imagine"を追悼番組で敢えて披露したニール・ヤング。すっかり、エンタメ業界は政治的であってはならないとする前提が漂う日本のシーンに慣れてしまうと、ミュージシャンの一人が「GOODBYE STARBUCKS!!!」と訴える働きかけに、むしろ受け取るこちらがビビってしまう。何とも情けない。しかし、"Imagine"が放送禁止ではなく単なる自粛扱いだったと知らせたのと同様に、この手の抗議を一個人として切り開いていく意味を誰よりも知っている人なのだ。

彼の申し出に対し、スターバックス側は「バーモント州の法差し止めには加わっていないし、モンサントと同盟を組んでいるわけでもない」と反論している。その反論を受けた形で、ニール・ヤングは追記の形でホームページに再度声明をアップした。「食べ物の中身を知る権利を求める人々に対して、その主張を負かそうとする企業を支援するつもりはない」とし、改めて「モンサントとスターバックスは同盟を組み、バーモント州を提訴している」という主張を繰り返し、「スターバックスは、自社の製品にGMOが含まれているのかどうかという、こちらからの設問に反応しなかった」と批判している。

ニール・ヤングが相手にしているモンサントを単なる大企業の一つとして捉えるだけではいけない。ブレット・ウィルコックス『日本では絶対に報道されないモンサントの嘘』（成甲書房）を開けば、同社はGMOを量産し、世界の種子市場を独占してきた挙句、今ではアメリカの国家戦略とも寄り添っているとある。国務省とモンサントは蜜月関係にあり、農業の世界における「ノーベル賞」とも言われる「世界食糧賞」の授賞式でケリー国務長官が、「飢餓と栄養不良を撲滅するために尽力した」「バイオテクノロジーが作物の収穫量を劇的に増やすのは紛れもない真実だ」とモンサントの主張をそのまま代弁した。

モンサントがGMOの安全性を示すために使う概念が、米国食品医薬品局（FDA）が提示する「実質的同等」。先の本から引くと、「実質的同等」とは「バイオテクノロジーによって改良された作物由来の成分を使った食品はまったく安全であり、それ以外の食品と異なるところは一切ない」という考え方。大体一緒だから大丈夫、という乱暴な言い訳を国家が率先して広めようとしている。

ニールは、ウィリー・ネルソンの息子たちが所属するバンド、Promise of the Realとコラボレーションし、反モンサントを訴えるアルバム『The Monsanto Years』をリリースした。曲のタイトルを並べれば“The Monsanto Years”“Rock Starbucks”“Seeds”“Too Big to Fail”と超直接的。「反モンサント」を掲げてのツアーも実施、こういったロック親父の粘着質な攻勢に痺れる。「ロックに政治を持ち込むな」との声すら聞こえてくるどこかの国とは大違いだ。

闇雲に「安全です」と喧伝されているGMOに対して、「安全ではない」と立証していくことは難しい。GMOをめぐるドキュメンタリー映画『パパ、遺伝子組み換えってなぁに？』』を観ると、モンサントをはじめとした遺伝子組み換えビジネスが「何が安全か」をはぐらかし続けることによって規模を拡大してきた危うさが浮き彫りになる。彼らは常套句として、「GMOが飢餓を救う」と繰り返す。企業広告としてこんなメッセージを流すのだ。

「10億人には十分な食料がありません。我々が直面している課題は人口の増加です。食料供給を増やし、不足している所に届けられるかが我々の課題です（トム・ウィルトラウト／ダウ・アグロサイエンス社）」「10億人が飢えています。その多くは小さな農家です。世界の食料危機を解決できるのは我々です（ヒュー・グラント／モンサントCEO）」。

多額の広告費を使ってばらまかれるこれらの見解は、反復することによって正義を押し付ける。しかし、映画の中でミレニアム研究所代表のハンス・ルドルフ・ヘレンが断言している。「私たちは1人1日当り、4600カロリー分の食料を生産しています。必要な量の2倍です。すでに140億人に十分な食料を生産しているのです。食料が足りないと主張するのはバイテク産業です」。食料が足りないのではなく、分配が適切ではないのだ。「飢餓を救う」「食料危機を解決する」は、受け手を勘違いさせようと働きかけるトリックでしかない。

モンサントの種子を受け取る側も黙っているわけではない。この映画で紹介される、ハイチの農民の事例が象徴的だ。2010年、ハイチ大地震によって31万人を超える人が亡くなり、首都ポルトープランスを中心に壊滅的な被害が生じ、数百万人がテント暮らしを余儀なくされた。モンサントは、ハイチに対して475万トンの種を寄贈した。困窮の中にある農民たちは喜んで受け取ったのか。否。農民は、その種子を燃やしたのである。現地の農民運動指導者がその理由を、「資本主義的な企業の典型的なやり方です。モンサントの目的は利益を得ることです。彼らの目的は食の安全を保証し生命を守ることではないのです」と厳しい口調で繰り返す。特定の企業を名指しし、その企業を支援するコーヒーチェーンを拒否し、その主張をアルバムに仕立て、ツアーを組んで訴え続けるニール・ヤングの憤りは、表現者としての「生物多様性」を守っていく行為に違いない。

＊特定の企業の商品について不買を表明する動きが急速に広まってきている。ヘイト思想を持つ企業が作る商品は買わない。発展途上国での低賃金労働によって作られた衣服を買わない。企業が商品を生み出すにあたって、どこにどれほどの負荷をかけているのか、あるいはどういった思想で商品を作っているのか、消費者がチェックし、賛同できるものを購入する。健全な動きである。ジェンダー意識の欠落したＣＭが定期的に問題視されるが、結局、「作ったほうにも問題があるけど、わざわざ指摘するほうもさすがに不寛容だよね」という「冷

静」な言い分が浮上してくる。それではいけない。焼け太りさせないためには、消費者が判断を繰り返すしかない。企業を監視する。緊張感を保つのは重要である。

第3章　愚者と巧者

池上彰が選挙後に各党首にキツい質問をぶつける「池上無双」がすっかりエンタメと化している。あれは選挙前にやるべきことだ。「〇〇という声も出ていますね?」と投げかける池上のスタイルは、オマエはどう思うのだ、という前提を丁寧に回避している感じがいただけないのだが、政治に親しみやすくしている功績は大きいのだろう。空気をムーブメントに変換する作業だけは上手いワイドショーでは、たとえ政治家がスキャンダルに見舞われても、問うのはスキャンダルそのものではなく、その後の応対である。「応対」によって政治家の価値が決まる。池上無双的な政治への興味が招いた結果かもしれない。この章ではcakesで連載している芸能人評連載を中心に、政治家やそれに付随する人材について書いた原稿をいくつか繋げてみる。繰り返し呆れてもらった後で登場する2本は、米原万里と水木しげるについて、それぞれ現代の世相を意識しながら記した一文である。愚かで鈍い言動を放置しなかった話者に救われるし、それを昔話で終わらせてはいけない。

「誤解」と言わせないための稲田朋美入門

自分たちだけよければよい。勝つためには手段を選ばない。嘘をついても責任は取らず、傲慢なのに国民におもねり、テレビ映りを気にして、いかにすれば自分が誠実で有能に見えるかばかり考えている政治家たち。政治主導って本当は政治家が責任を取ることですよね。責任を取らないで、官僚に責任をなすりつけておいて、官僚に任せない。最近では眼がガラス玉のようになってきて、「信じてもらえないかもしれないけれど、知らなかった」とか、「なぜこんなことになったのか、私も知りたい」などと、まるで他人事のように繰り返すばかり。

と、ここまでの見解に対し、大半の方に、おぉ武田、全くその通りだよ、と思っていただけたのではないかと思うのだが、前段落は武田の見解ではなく、全て稲田朋美防衛大臣のこれまでの発言で構成されております（「～考えている政治家たち」までが稲田朋美『私は日本を守りたい』ＰＨＰ研究所。「～官僚に任せない」までが女性国会議員9名×加藤清隆『時代が登場をうながす女性宰相待望論』自由社。以降が『渡部昇一、「女子会」に挑む！』ワック）。

　都議会議員選挙の応援演説で「自衛隊としてもお願いしたい」などと発言した稲田大臣に批判が集中すると、その後の会見で「誤解」という言葉を35回も連発して釈明した。「防衛省・自衛隊・防衛大臣としてお願いしたい」と発言したことに対して、「私としては、防衛省・自衛隊・防衛大臣としてお願いするという意図は全くなく、誤解を招きかねない発言であり、撤回をしたということであります」と答えてみせた。近年稀に見るパワフルな釈明である。友人から「渋谷・ハチ公前・17時集合でお願いしたい」というＬＩＮＥを受け取り、その時間に合わせてハチ公前で待っていたところ、「私としては、渋谷・ハチ公前・17時集合とお願いするという意図は全くなく」と新宿のアルタ前から19時にＬＩＮＥがやって来たら、おおよその友情は壊れると思う。でも、稲田理論では、それはあくまでもハチ公前に来たお前の「誤解」だというのである。

「誤解されかねない発言」という言い方を、政治家は頻繁に使う。自分の発言が間違っているわけではない、でも、理解力が無いメディアや有権者が誤解しちゃいそうだから、撤回しておきますね、というもの。受け取る側の能力不足を匂わせることで、自身の失言自体をうやむやにする。しかし、「防衛省・自衛隊・防衛大臣としてお願いしたい」という発言を「私としては、防衛省・自衛隊・防衛大臣としてお願いするという意図は全くなく」と切り返すのは、さすがに誤解の限界を超えている。もはや、誤解の新境地である。

説明不足ですみません、と陳謝したわけだが、説明はまったく足りている。これほど説明が100％済んでいる発言も珍しい。そもそも、誤解とはどういう状態・思案を指すのだろうか。折角なので、引き続き稲田大臣のこれまでの発言から引用してみよう。

「左翼がこれまで進めてきた教育は、戦前の反省を口にしながら、子どもたちに日本人としての自覚を失わせ、国を憎ませ、父母や祖父母に軽蔑、憎悪の念を抱かせることを企図してきました」（渡部昇一・稲田朋美・八木秀次『日本を弑する人々』PHP研究所）

閉口する。これまでの教育は、父母や祖父母に軽蔑・憎悪の念を抱かせてきたらしい。そして、かつての日本が諸外国に対しておこなった行為を反省することは、彼女らにとっては「父祖の創り上げた国を弑虐《しいぎゃく》する行為」なのだそう。反省することがいつの間にか弑虐＝「臣下・子など目下の者が、主君や親などを殺すこと」（デジタル大辞泉）に飛躍していく。そう、この飛躍こそが本来、「誤解」と呼ばれるものだ。「『その国のために戦えるか』が国籍の本質」（同書）なんて発言もあるけれど、もはや誤解というか曲解というか、曲芸の部類である。

持論の補強のために異なる要素を出すと「誤解」と片されるので、今回は徹底して稲田大臣の発言のみから引っ張るが、夫婦別姓運動は「秩序破壊運動に利用されている」(『私は日本を守りたい』)くらいの発言が、彼女を取り巻く人々の中ではいくらでも繰り返されてきた。闇雲に国益を優先する人達は、主張する一個人をすぐに「何でもかんでも権利を求める個人」と規定する。国の力を膨らませる・取り戻すために、個人から放たれる申し出や問いかけを「誤解」と片付ける。夫婦別姓運動を秩序破壊運動、とするスケール感は、まさしくその象徴的な例だと思う。

昨今の政治家について「まるで他人事のように繰り返すばかり」と嘆いていた稲田大臣は、まるで他人事のように「誤解だ」と35回も繰り返した。政治家の言葉が軽い、との印象はずっと続いており、ともすれば順番が逆転して、言葉が軽いのが政治家、との印象に落ち着いている感すらある。それが「政治家ってそういうもの」という達観に到達すると、今度は政治家の失言について「いちいち指摘するメディアってどうなのよ」とメディア批判に励むのが、有権者にとって少々の快感にもなってしまう。稲田大臣が「(メディアや有権者に) 誤解されかねない」と連呼しとけば乗り越えられると踏んだのも、その手のメディア批判を予期してのことだったはず。ふざけるんじゃない、と思う。いちいち指摘するべきだ。そして、こんなに適当な人に、さっそく私たちは選挙で「もう戻っていらっしゃい」との意見を伝えたのだ。情けないことである。

＊このところ、やや存在感の薄くなった稲田朋美だが、夫婦別姓制度について「秩序破壊運動に利用されている」とまで言っていたのを少々改めたのか、制度に反対しながらも、結婚後も旧姓を使い続けられる「婚前氏続称制度」を提案している。前進していると捉える向きもあるが、「絆」がどうのこうの言い続けてきた仲間たちへの妥協案の提示、にすぎない。いずれにせよ、考え方が変わったわけではなく、温存しながら、どのように乗り越えるかを画策している。これもこちらの「誤解」だろうか。

小池百合子のテレビ活用法

小池百合子は、記者やキャスターからの質問に答えた後、最後に微笑むことが多い。微笑みで終わる。その微笑みが「情報優位なのはコチラですからね」とのアピールになっているわけだが、あなたやあなたの都政のことを尋ねているのだから、あなたが情報優位なのは当然である。私が今晩ラーメンを食べようと思っているのか、カレーを食べようと思っているのか、それは当然、誰よりも私が知っている。

それなのに、かしずく側近たちに「でも、天ぷらもお好きでしたよ」なんて言わせておきながら、ラーメン屋の入口までカメラを追いかけさせ、「場合によっては、チャーハンを食べるかもしれません。では。」と微笑んでお店に入っていくのが小池百合子である。いつも微笑みで終わるから、男社会に颯爽と挑んでいくこの人の余裕って素敵、と思う人が出てきているのだろうが、実に安易な戦略である。

安倍晋三がFacebookで信奉者からの礼賛を浴びることを日々のエネルギーにしたり、橋下徹がTwitterで定期的に激高することで注目を確保したりしてきたのと比べ、小池は徹底的にテレビを意識している。「いいね！」や「リツイート」で自分の人気を〝メディアミックス〟してきた人たちとは異なり、とにかくワイドショーのトップニュースに君臨することに力を注ぐ状態が続いた。

国政選挙に出るのではないかと噂された時、「みなさん、私が、国政に戻るんじゃないかということで、今日もテレビ、朝から晩までそのことで、後継は誰が出るまでいろいろとにぎわっておりますけれども……」と微笑んでいるが、「場合によっては、チャーハンを食べるかもしれません。では。」と入っていたラーメン屋から出てきたところにマイクを向けられ、「餃子がイマイチでした」と答えて、「ラーメンは？」との問いに微笑んで煙に巻くから「朝から晩まで」続くことになる。

その微笑みの連続にいちいち便乗するワイドショーが愚かなのだが、毎日、新鮮なネタを提供しなければならない職務にある彼らにしてみれば、1週間分のトップニュースを与えてくれる存在って有り難いのである。

先の例えをしつこく引っ張れば、

月曜日：【徹底討論！】ラーメンを食べるのか、カレーを食べるのか

火曜日：【側近が語る！】天ぷらという選択肢も

水曜日：【徹底追及！】ラーメン屋の入口で語ったこと。チャーハン発言はダミーか⁉

木曜日：【真意は？】餃子イマイチ発言のワケ

金曜日：【生直撃！】ラーメンを食べたのですか？

といった具合。

一時のワイドショーはこんな内容だったし、築地移転にしろ新党結成にしろ「小池は次はどう出てくるか」の先延ばしに時間を費やしてきた。「私の特技は新党を3日で作れることだ」（『正論』2017年2月号）と適当に豪語していた人の弁舌を繰り返し報じる毎日が続いた。

1990年代に起きたボスニア紛争で名を馳せたPR会社「ルーダー・フィン」社は、巧みな情報戦でユーゴスラビア政府の国連追放という成果をあげたが（高木徹

『国際メディア情報戦』〈講談社現代新書〉に詳しい）、その中心人物であるジム・ハーフは自らの仕事を「メッセージのマーケティング」と豪語していた。彼は政府の要人に対し、「長くても十数秒の間にもっとも重要なことをシンプルなセンテンスで伝える」ことを課し、「民族浄化」という言葉を連呼させた。「しがらみのない政治」というシンプルな言葉の連呼に、微笑みを添えてはぐらかし続ける小池は、「メッセージのマーケティング」を続けているつもりでいる。

朝から晩までテレビを賑わせることに最大の価値を置く小池だが、それは今に始まったことではない。2007年、防衛大臣への就任が決まった日の日記を振り返れば、「夜のテレビでも、私のこれまでの歩みとやらをダイジェストした番組が氾濫していた」（小池百合子『女子の本懐　市ヶ谷の55日』文春新書）と興奮気味。テレビに「氾濫」することが政治家の力量だと思っている節がある。

小池は『文藝春秋』（2017年7月号）の手記で「誰が名付けたかは存ぜぬが、昨年7月の東京都都知事選で私がキャンペーンカラーとして使った緑は『ゆりこグリーン』と呼ばれている」と切り出しているが、当時の都知事選を追った『クローズアップ現代+』の解説から拾い直せば、「イメージカラーを、百合子グリーンと自ら名付けました。演説会で、緑色のものを身につけてくるように呼びかけます。支援者の一体感を出そうとしています」と説明されている（2016年7月28日放送「誰が首都のリーダーに？〜密着・東京都知事選〜」）。主にテレビを使い、自らの撒き餌で現象を作り出し、大変なブームになっているようです、と俯瞰する。

２０１６年春、東京都美術館で開かれた「若冲展」は連日、長蛇の列ができるほどの人気を博したが、そのことを聞かれた小池は「若冲は、私は10年前ぐらいから非常に素晴らしいと思って目をつけていたんですよ」（『Voice』２０１７年1月号）と語っている。「知っていた」「好きだった」ではなく、「目をつけていた」という言葉を選ぶところに小池の姿勢が滲んでいる。後々有名になったアイドルについて「小さなライブハウスに出ていた頃から目をつけていた」と語るならばまだしも、若冲を「目をつけていた」と語るのに恥じらいがない。

例えば私がロック雑誌に「実は10年前ぐらいからニール・ヤングというミュージシャンに目をつけていたのだが……」と書けばその雑誌での仕事を失うだろうが、ワイドショーで同じように紹介すれば、もしかしたら仕事が増えるかもしれない。小池は恥じらわずにそれができる人だから、ワイドショーとの親和性が抜群に高い。「ダイバーシティ」と銘打ちながら、彼女が編著を務めた小池百合子編著『20／30プロジェクト。』（プレジデント社）では、女性活用を謳う一節で「『外国人をこれ以上受け入れること』と『日本の女性が社会に出ること』、どちらが日本社会の価値観を保てるのでしょうか。（略）答えは自ずと出ている」と書き、本のオビ袖には「なでしこを雇

用するか　外国人を雇用するか」との醜悪なコピーを載せた。女性と外国人のどちらを雇うべきでしょう、女性ですよね、と二者択一で提言する粗雑な政治姿勢には一切賛同しないが、賛成・反対以前に小池の「メッセージのマーケティング」が極めて安っぽいってことくらい共有しておきたいのだが、もしかしてそれすら無理なのだろうか。

＊2020年3月、なんとかその年に東京五輪を開催したがっていた小池都知事は、1年間の延期が決まるまで、あまり表に出てこなかった。延期が決まると、マスク姿で毎日のように登場し、自分の好評に使えるか使えないかばかりを気にするパフォーマンスに終始した。ぜひ、「小池都知事　パネル」で検索してみてほしいが、ありとあらゆるパネルを掲げて、テレビに向けて「やってる感」を演出し続けた。「五つの〝こ〟」「ウィズコロナかるた」など、自分でキャッチーだと感じたものを新たにばら撒き続けた。今、出ていくべきと判断すれば前に出て、劣勢と判断すれば一歩引き、ここに参加すると巻き込まれると判断すれば距離をとった。自分のポジショニングを第一に考え続けるやり方はもちろん都民のためではなく、自分のため、である。テレビは、そんな小池にずっと活用されたままだ。

「昭恵夫人だから」で許しちゃう感じ

籠池理事長という特異なキャラクターを見て、どうです、少しは心を許せますか、やっぱり少しも許せませんか、と問われている間に、着々と「安倍夫妻は籠池に騙されただけ」という安手の防備がじわじわ固まっていく感じが解せなかった。安倍は公判すら始まっていない籠池について「籠池氏は詐欺をはたらく人物」と述べた。保護者向けに「よこしまな考え方を持った在日韓国人や支那人」などといったヘイト文書を配布してきた幼稚園の名誉校長を引き受け、「中国から、鉄砲とかくるけど、ぜったい、日本を守ろう！」などと言わされている園児を見た後に涙を流していた昭恵夫人、という当初の報道を思い出せば、どちらがどう、こっちは少しだけ、ではなく、どちらとも許してはならないのである。

8億円の値引きにせよ、100万円の寄付にしろ、金の動きは事細かに解明されるべきだが、こうして金の話が主軸になると、それ以外のキャラの部分で「(籠池って)結構まともな人っぽい」「(昭恵って)結構天然っぽい」がすくすく育っていき、気付けばその「っぽい」が金の動きの推察に登場してくる。友人の安倍首相をひたすら擁護する評論家・金美齢は「節操なきメディアのアッキー叩き」(『月刊Hanada』2017年5月号)と題した寄稿で、昭恵夫人のことを「人に対する警戒心が全くないのです。しかし、それは彼女の魅力でもあります。チャーミングで天真爛漫」と、小学校の先生が通信簿に書くようなコメントでフォローし、かつては「家庭内野党だ」などと持ち上げてすらいたメディアが「軽率だ、問題だと非難するのはあまりに節操がないのではないでしょうか」と憤る。

節操がないのはどちらでしょう、と思う。窮地に立たされた昭恵夫人は北九州での講演会(2017年3月24日)で、「本当に私は普通の主婦、普通の女性だ」(時事通信)と涙ぐみながら述べたというが、マスコミをシャットアウトした講演会で「私は普通の主婦!」と訴えるシチュエーション自体が、どう考えても普通ではない。「昭恵夫人は公人なのか私人なのか」を問われると、政府は「公人ではなく私人であると認識」との答弁書を閣議決定するという珍行動に出た。普通の主婦に対する措置ではない。

安倍昭恵『「私」を生きる』(海竜社)にはこんなくだりがある。かつて勤めていた電通の知り合いから、「日本の明日を考える女子学生フォーラム」の活動に関わっているのだが話しに来てくれないか、との誘いを受けると、彼女は「せっかくだから公邸でやりましょうか。会場に使ってもいいですよ」と返し、その結果「その懇談会が首相公邸で実現」したという。日頃、私邸に住んでいる安倍夫妻だが、使用していない公邸の会議室を鶴の一声で自由に使えてしまう彼女は「普通の主婦」ではない。特別な立場であることを自覚し活用してきた人が、急いで「普通の主婦」に切り替えちゃった現在を、節操がないと言う。

籠池理事長が、小学校建設費用には安倍首相からの寄付金も含まれると激白したその日、頻繁にメールを交わしてきた籠池夫人に対して昭恵夫人が、6日ぶりのメールを送った。その一発目が「祈ります」の一言。堀北真希が山本耕史に送った伝説のLINE「真希だよ」を彷彿とさせる強度である。籠池夫人からの返答「安倍首相はどうして園長を地検に言われたんですか。国は大事な民衆を切り捨てるのは許せない。国会に出ます」に対しても「それはうそです。私には祈ることしかできません」と答えており、とにかく祈りまくっている。以前、ジャーナリスト・青木理の取材に応じた昭恵夫人は、夫・晋三が長期間にわたって首相を務めている理由を「天のはかりで、使命を負っているというか、天命であるとしか言えない」「見えないものの力っていうのがすごくある」（青木理『安倍三代』朝日新聞出版）と、「祈ります」的な説明に終始した。

この人はズルい。その手のスピリチュアルで天然な応対を重ねて「それが昭恵さんだから」と許してもらう一方で、家庭内野党だとしきりにアピールし「さすが昭恵さんだよね」へと導く道筋を用意し、双方を使い分けてきた。今回のように「誰が嘘ついてんの」との状況が生まれると、自分は私人で普通の主婦で何もわからないと、前者の「それが昭恵さんだから」のみをフル稼働させていく。対談本『どういう時に幸せを感じますか？　アッキーのスマイル対談』（ワック）のまえがきには、人の意見が完全に一致することなんてないけれど「そこでお互いに目をそらし、耳を塞ぎ、心を閉ざすのでは何も生み出しません。きちんと向き合って、意見をぶつけ合うこと」が必要だと熱弁していたはずだが、こういった「さすが昭恵さんだよね」の部分は都合よく隠してしまう。

「内閣総理大臣夫人付　谷査恵子」名義で籠池理事長に送られたＦＡＸには「なお、本件は昭恵夫人にもすでに報告させていただいております」とあるが、それを政府の皆さんは「昭恵氏が指示し、関与して、ではない」（3月26日・ＮＨＫ『日曜討論』での下村博文幹事長代行）と勢い任せにかばってみせた。もはや、勢いに任せないと、かばえないのである。野党が主張する、「籠池理事長の答弁をそのまま信じているわけではない。だからこそ、昭恵夫人も同じ条件で証人喚問を」との姿勢は真っ当。国家が一人の女性公務員にすべての責任を背負わせた様子こそ「家庭内野党」の出番だと思ったのだが、私は「普通の主婦」だと切り替えて、人を捨ててしまう。

この人はとってもズルい仕組みのなかにいる。「私は私でいい」（前出書）と自由人アピールを重ねてきた昭恵夫人、あたかも神田うのの著書名『うのはＵＮＯ』のような言い回しだが、神田うのと違って、この人は全く、私は私ではないのである。「それが昭恵さんだから」で許されていく感触を熟知している。熟知した上で操縦する。それってズルい。

＊昭恵夫人が、加計学園理事長らと夫・安倍晋三が談笑する写真をFacebookに投稿する際に添えた言葉が「男たちの悪巧み」。この言葉は、今に続く政界汚職に共通する、実に適確な言葉だったと思う。縁故で悪巧み、いずれバレてしまい、マズい感じになれば、尻尾を切る。自ら命を落とした官僚までいるというのに、悪巧みの首謀者たちは、お咎めもなくのらりくらりとしている。「許しちゃう感じ」が続く。

イヴァンカ・トランプ初来日公演

「今回、トランプ大統領がカートから降りて、ハグをするのか握手をするのか、そういったところも見どころ」（ＮＨＫ・岩田明子記者）と語る様は、なんだか『テラスハウス』で恋の進展をスタジオから見守る芸能人のようだったが、率先してゴルフカートを運転しながらトランプ大統領の機嫌を保とうとする安倍首相は、気に入られようとあれこれ尽くしすぎて、スタジオにいるＹＯＵ辺りから「逆にちょっとウザくない〜？」と吹っかけられるタイプに見えた。

「相変わらず蜜月だぜ」だけを伝え合いたい２人に対して、それだけでいいのかと疑問を投げかけるのがメディアの最低限の役割だとは思うのだが、Yahoo! に載っていた産経ニュース配信記事には「トランプ氏来日　和田アキ子さん、ピコ太郎さん同席を批判」とあり、コメント欄で最も賛同を得ているのが「和田が文句をいう問題ではない」なのだから、ニュースなんか読むのを止めて、晴れ渡る秋の空、ピクニックにでも出かけたくなる。

２０１３年、東京ドームで行われたボン・ジョヴィの来日公演にライブレビューの仕事で出向くと、斜め前の席が数席空いており、開演直前に駆け込んできたのが、キャロライン・ケネディ駐日米大使（当時）だった。たくさんの護衛に囲まれているわけではなく、歴史に悪名を残すなら今しかない、と思い立ちかねない至近距離だったが、幸いにもそういう気持ちは芽生えず、ミドルテンポの楽曲であろうと、腰をシェイクしながら豪快にリズムをとるケネディの後ろ姿に目を奪われていた。

パイプ椅子を敷き詰めた席にはシェイクするほどの空間の余裕がなく、ケネディのシェイクによって、隣の人がちょっと体を反らす必要が生じていた。シェイクを突然止めたケネディは本編を全部見ずに会場を足早に去り、周囲にようやく平穏がおとずれた。別に彼女は誰かに対してプレッシャーをかけていたわけでもなかったのに、皆が緊張していたし、彼女の気分を害するようなことがあってはいけない、とにかくこのまま楽しんでいただこう、との一体感に包まれていた。「アメリカの偉い人をもてなさないとヤバい」という極めてざっくりとしたコンプレックスって漏れなく染み渡っているものなのだな、そのスイッチは自分にも内蔵されていたのだな、とケネディ離脱後のボン・ジョヴィを眺めながら痛感したのである。

さて、ドナルド・トランプ大統領の来日に合わせて前入りしたのが、娘のイヴァンカ・トランプ大統領補佐官である。一体、あの過剰な報道の数々は何だったのか。成田空港のエスカレーターから降りてきて、取材陣の前で微笑む映像が繰り返された。おびただしいフラッシュにちっとも動じないイヴァンカの様子が誰に近かったかと言えば、政治家ではなく、マライア・キャリー的な誰かである。その余裕には、この後、東名阪3大ドーム公演に臨みそうな貫禄があった。彼女が宿泊するホテルの前にはいくつもの脚立が並び、彼女が着替える度にその「召し物」の詳細が伝えられた。イヴァンカとの夕食を、店の玄関口でお出迎えするも、なかなかやってこないのでしばらく待ちぼうけを食らう首相、という映像も流されていたが、彼の熱烈な支持者はこういう構図に怒らないのだろうか。もしかして彼らも、アメリカの偉い人の機嫌を損ねてはいけない、という謎めいた高揚感を共有していたのだろうか。そんなの、愛国心が足りないと思う。

彼女と安倍首相が参加した「国際女性会議WAW!」での演説を受け、「イバンカ氏基金に57億円拠出、首相が表明」とのニュース速報が流れた。その「イバンカ氏基金」との名称や説明が不正確であり、メディアの勇み足だとの声が強まったが、正確には「イバンカ氏が設立に関わった女性起業家支援基金」（東京新聞・11月4日）への拠出であったものを、スピーチの場で首相は「イバンカさんは、本年のG20ハンブルク・サミットで、女性起業家資金イニシアティブの立ち上げを主導されました。日本は、このイニシアティブを強く支持します。そして、最大拠出国の一つとして、5000万ドルの支援を行うことを決定しました」（「国際女性会議WAW!」安倍総理スピーチ・首相官邸HPより）と、イヴァンカが「主導した」と述べている。メディアの勇み足というより、イヴァンカの役割を盛り、「主導した」と評価することでご機嫌を保とうとした話者に問題があったのではないか。

2017年、世界経済フォーラム発表の「男女格差ランキング」で、前年から更に3つもランクを下げて114位となった日本。その結果を受けた野田聖子総務大臣のインタビューが朝日新聞に掲載されていたが、政治の場で一向に女性議員が増えない現状を嘆く野田が、女性候補の擁立について二階俊博幹事長に尋ねると、「自然の成り行きでいいんじゃないか」と返ってきたのだという。政治分野は122位と前年から20も順位を下げているが、その理由をこういった長老の鈍感さに見出せそうだ。父・トランプによる数々の女性蔑視を放置してきたイヴァンカの講演を聞いた後、首相は「世界中の女性たちが立ち上がれば、世界のさまざまな課題はきっと解決できる」（AFPBB News）と述べたそうで、この方々の女性活躍のイメージが、引き続きドリーミングであることがわかる。今、そこにある問題ではなく、話のスケールを大きく膨らますことに酔いしれてしまう。

この原稿を書くため、イヴァンカ来日をどのように持ち上げたか、様々なニュース映像や記事に目を通したが、最もインパクトのあったタイトルが、日刊スポーツの「ミニスカ美脚イバンカ氏、服ミュウミュウ豚肉食べず」である。詰め込まれた情報が全てどうでもいいという皮肉の密度に圧倒されたのだが、記事を読めば、驚くべきことに皮肉ではなかったようで、「『華やかさばかりが注目されがちだが、『仕事と母親のバランスを取ろうと、もがいている』と述べた。この日はひざ上のミニスカートで、美脚を生披露した」と、華やかさばかりに注目した記事を書いており、男女格差ランキングが低迷し続ける理由をここでも教えてくれる。

政治家ではなく、マライア・キャリー的な誰か……空港のエスカレーターを降りてきた時から「来日公演」っぽさを感じていたのだが、試しに「イヴァンカ・トランプ初来日公演」とパソコンに打ち込んでみると、もうそういう感じにしか見えなくなるし、来夏のサマーソニック辺りで戻ってくるのではないかというスケール感があった。そういうスケール感にすっかり飲み込まれ、メディアが隷従してしまったのが実に情けなかった。

*イヴァンカの存在感は薄まったが、あの時、イヴァンカに大興奮してしまったメディアの作法はそのまま保たれている。たとえば昨年、菅首相が就任した時には、ファーストレディーの素性を探った。イヴァンカへ向けられた「服ミュウミュウ豚肉食べず」という見出しのセンスは、「パンケーキおじさん」に受け継がれている。これでいいのだろうか。

長谷川豊の「日本語の持つ力」

タイトルを紹介するのも気が引けるのだが、長谷川豊が書いたブログ「自業自得の人工透析患者なんて、全員実費負担にさせよ！無理だと泣くならそのまま殺せ！今のシステムは日本を亡ぼすだけだ‼」が非難を浴びた。全国腎臓病協議会から抗議文が届いても、長谷川はその会長に対して「私は『現実的な』観点から『切るべきは切らないと、守るべき人を守れない』という考え方ですが、『誰であっても救いたい』というあなた方のような思いの人たちも絶対にいるべきだとは思う。私は今の時代にもうあっていないと思うが」などとブログに書き込んでおり、目も当てられない。テレビ番組の降板が相次いで決まってからは、残された番組で謝罪をしているが、一連のブログについて削除しようとはしなかった。

彼は、自分に向かう非難について、オレの真意が伝わっていない曲解ばかりだと繰り返していたが、「そのまま殺せ！」と掲げた後に、「『長谷川が透析患者は死ねと言ってる！』などと乱暴なこと拡散するとまでは夢にも思っていなかったのです」と弁明している。「Aだ！」と言った後に「Aとは言っていない」との弁明。日頃から、スイカを食べた直後に「今食べたのはメロンだ！」と喚いたり、「駅前までよろしく」と告げたタクシーが駅前に向かうと「なんで駅前なんだよ」と怒鳴り散らしているのだろうか。「アナウンサーとして磨いた自分の日本語の持つ力を信じよう！」（長谷川豊『いつも一言多いあのアナウンサーのちょっとめったに聞けない話』小学館）という信念を未だにお持ちかどうかわからないけれど、こういう話者が「日本語の持つ力」などと言うのを放置していると、日本語の持つ力がすこぶる弱まるので困る。彼は「全員のことを言っているわけでは決してありません」と書いていると言い訳するが、あまりに雑である。

今回のことを通して、私はこう思う。「傷ついている。苦しんでいる。そんな人たちの心の傷を、あえてこじ開けなおして、塩を塗り込むようなマネをすることが本当に正しいのか？」と。あるいは「この人たちの気持ちを、もう一度苦しめる必要がある？　すでに十分傷ついてる人じゃないか」と。私はこう思う、の後に続けた二つのカッコは、私の言葉ではなく、入社して2〜3年目の長谷川豊が、事件や事故にあった当事者に取材して感じた想いである（前出書より引用）。日本語の持つ力を信じるご自分のブログに向かう苦言の大半を戯言と片付けているようなので、ご自分の日本語から抽出して投じてみたわけだが、この意見はどのようにお感じになるのだろうか。まさか、昔の自分の考えまで「夢にも思っていなかった」で済ますのだろうか。

彼は過激な言説を自分の持ち味として自覚しているが、その過激な言説の土台はいつもグラついている。例を出す。「ちなみに、どこだったか忘れたが、『原爆を投下したアメリカ人は罪の意識から頭がおかしくなったらしいぞ！』なんてデマすら聞いたこともある」（長谷川豊『テレビの裏側がとにかく分かる「メディアリテラシー」の教科書』サイゾー）。「頭がおかしくなったらしい」という伝聞を、「どこだったか忘れた」

状態で「聞いたこともある」と力強く伝えてしまう。メディアリテラシーの教科書を書く前に、読むべきだろう。沖縄で講演をした百田尚樹が沖縄でおこなわれている基地反対運動について、「カンパだけじゃ無理。では資金源はどこか。本当の中核は。はっきり言います。中国の工作員です。なかなか証拠はみえないが、中国からカネが流れている」と語り、記者からその根拠を問われると、「ない。それを調べろと僕は言っている」（いずれも沖縄タイムス・２０１７年10月27日・傍点引用者）と答えてみせた。オレが言うんだから、たぶん本当だろうと恫喝する軽薄さが放置され続ける。

　長谷川のブログのプロフィールには「取材した現場数は１７００以上。伝えたニュースは２５００を超える。同番組（『とくダネ！』・引用者注）が２０１２年まで続けた連続視聴率1位の中心人物の一人」と書かれている。数値や立場を羅列するのがお好きだが、フジテレビを退社した後、ブログに沢山のコメントが寄せられた時も、「ブログ最終日は届いた応援コメントが２０００件以上。ＡＫＢ48の大島さんが総選挙で優勝した時、大島さんのブログに届いたおめでとうコメントの数が確か６００件ほどだったはずだ。それくらい、大手のテレビ局と戦っている珍しい人物に注目が集まったのだろう」（前出『テレビの裏側～』）と書く。

　こういう時に「日本語の持つ力」を信じる人がやらなければいけないのは、「確か６００件ほどだったはず」にある「確か」「はず」を取り除こうと努力することだと思うけれど、彼はその不確かな数値を拠り所にし、「大手のテレビ局と戦っている珍しい人物」と自分の立場を持ち上げてきたのである。

人工透析のブログについて、他人のブログを盗用していた事実が明らかになったが、J・CASTニュースの取材に応じた長谷川は、これは盗用ではなく、ブログの書き手に「連絡がつかなかった。連絡がつかないのに名前を勝手に引用して迷惑をかけてもしょうがないし、本記の中でそれほど大事なところでもなかったので、いわゆる部分引用に。単なるコピー&ペーストではなく、改行をしたりして『自分の著作物』という形にした」という、著作権の概念を根本からひっくり返す秘技を披露した。フジテレビ勤務時代の2012年、経費の不正使用によってニューヨーク支局勤務の解任・異動を命じられたが、彼がアナウンス室から異動となった先は、著作権部である。

その時のことを『いつも一言多い〜』の中で、「著作権部の仕事は手を抜かずにきっちりやりましたよ。結構削除したなー。違法動画」と書いている。ならば、改行すれば「自分の著作物」になる、という言い訳が珍奇であることを、彼はさすがに知っているはず。知らないのならば、著作権部の仕事は相当手を抜いていたのだろう。

寄せられている意見を「俺の真意じゃない!」と突き返していたので、かつての自身の言動を抽出してぶつけてみたのだが、こんな恣意的な引用では事実がねじ曲げられていると言うのかもしれない。最後にもう一度繰り返しておくが、こういう話者が

「日本語の持つ力」などと言うのを放置していると、日本語の持つ力が弱まるので困る。そして、何より「この人たちの気持ちを、もう一度苦しめる必要がある？」と強く思うのである。その後、衆議院選挙に立候補した長谷川は落選、自身のストリーミング番組で「女が完全にトチ狂って、本能に支配されきって、完全にくるくるパーにならないと、子どもを産もうなんて思わない」と放言するなど、目も当てられない状況が続いた。しかし、その目も当てられない状況を、一目置かれているキレキレの自分と変換しかねない。無視しても認知してもうるさい声が更に増長するという仕組みを自分で築き上げているが、挙がった声の暴力性をその都度指摘していくしかないのだろう。面倒臭いけれど「面倒臭い俺」がのさばるほうが面倒臭い。

＊度重なる暴言を繰り返していた氏をすっかり見かけなくなったが、彼のような、ぶっちゃけたことを言えてしまえる態度は、それはそれは、あちこちに生息している。自分の発言が炎上すると、なぜ炎上したのかではなく、自分の発言が炎上したという事実に酔いしれながら、世の中を刺激した自分の存在を高めようとする。わかってくれる人はわかってくれる、わかってくれないやつはバカだ、という区分けをハッキリさせながら、議論の中心に居座る。取るに足らない議論をふっかけた人が「論客」として立ち振る舞い、どうだ、反論できないだろうと誇らしげなまま、限られたお客の元に戻って英雄視される。これがまだ続いている。

秋元康の「右傾化」パフォーマンス

東京五輪を任せたい人はなかなか見当たらないが、任せたくない人はたちまち見当たる。2014年の東京国際映画祭で物議を醸したキャッチコピーを思い出そう。「ニッポンは、世界中から尊敬されている映画監督の出身国だった。お忘れなく」。書店を占拠するヘイト本のキャッチコピーと見間違うほどの内向きなスローガンに、映画人を中心に非難が殺到した。なお、この映画祭のオープニングセレモニーには安倍晋三首相も出席し、嵐の5人に囲まれている。出席後に更新された首相官邸のフェイスブックには、「我が国が誇る質の高い日本映画は、日本の文化、魅力を世界に伝える『クールジャパン』の一翼を担う重要なコンテンツです。（中略）映画を通じて、日本に関心を持ち、日本の文化に触れ、日本のファンになってくれる人々が世界中に増えるよう」と、繰り返し「日本」を使い、映画祭を国力アピールに変換しようとした。映画監督や俳優の才気には微塵も興味をお持ちでなく、日本が「いいね！」をもらえればそれでいいとの考えに思える。となればあのキャッチコピーも、映画祭を国力に繋げたいとする本音を裏付ける文言だったとわかる。

この映画祭の総合プロデューサーを務めたのが秋元康である。２０１４年の年始、産経新聞で安倍首相と対談した秋元は、クールジャパンをいかに盛り立てていくかについて、「『日本に生まれてよかった』ということを、われわれの責任で次の人たちのために作らなきゃいけないと思う人たちだけが集まってオールジャパンを作ったとき、たぶん勝てると思うんですよね」と頓珍漢なメソッドを語っている。日本に生まれて良かったと思うために、オールジャパンで勝たなくちゃ……というのはまさしくヘイト本の思考だ。映画人は、オールジャパンで勝つために映画を作っているわけではない。ケント・ギルバートに認めてもらうために映画を作っているわけではない。

秋元康による国策へのコミットは枚挙に暇が無い。２０１３年12月、日本主催のＡＳＥＡＮ特別首脳会議の晩餐会にＡＫＢ48を登場させた。安倍首相はこの時の反応を、各国首脳が「自分たちの国にはそんなのないと釘付けになっていた」と成功例のように語っていたが、各国首脳が着席するパーティ会場でミニスカートの少女集団に「おもてなし」させたことに、ここは北朝鮮かと目が点になっていただけに違いない。

14年7月、集団的自衛権を行使容認する閣議決定がおこなわれた直後から、ＡＫＢ48の島崎遥香（現在は卒業）が出演する陸海空自衛官募集ＣＭが開始されたことも話題となった。

「自衛官という仕事、そこには大地や海や空のように果てしない夢が広がっています」という安っぽいキャッチコピー。集団的自衛権行使や日米防衛協力指針見直し、トランプ大統領との蜜月によって「果てしない悪夢が広がっています」との修正すら必要な現在だが、塩対応で知られていた島崎遥香が珍しいほどの笑顔で「ここでしかできない仕事があります」と締めくくるCMに目を輝かせてしまった男子は少なくないのかもしれない。

CM開始のタイミングにあわせて、全国の高校3年生のもとに自衛官募集の案内が続々と届いたのもキナ臭さが漂った。島崎は、防衛省が編集協力している自衛隊オフィシャルマガジン『MAMOR』（2017年11月号）の表紙にも登場しており、もう露骨すぎる展開。

その前の月には政府広報「成長戦略でチャレンジ日本」にAKB48が登場、メンバー8人が医者や農家や若女将のコスプレで「若者のみなさんへ　羽ばたくチャンス拡大中」と訴える広告を打った。そこには、有効求人倍率の上昇や賃上げ率が過去15年で最高だとアベノミクスの効果が訴えられているが、「大人AKB」と題して期間限定でメンバーを雇ったり、「バイトAKB」プロジェクトを始めたりしていた彼女らこそ、雇用の流動性、その残酷さを体で知っているはず。

AKB48の握手会の最中にメンバーの川栄李奈・入山杏奈がのこぎりで切りつけら

れる事件が発生。アイドル業界全体に浸透した握手会目当てでCDを大量購入させる手法や、ハグなど握手に留まらない「触れ合い」など、アイドルの商法についてまで問題が派生した。しかし、この事件において私がもっとも嫌悪感を覚えたのは、事件後に秋元康が記したコラムだった。凶行に憤りつつも、読売新聞の連載コラムにこう書いた。

事件に遭ったことでAKB48の未来に壁が立ちはだかったとし、「壁を乗り越えるでもなく、迂回するでもなく、突き破って進んだのは、川栄、入山を始めとするメンバー自身だった。『夢をあきらめるわけにはいかない』。その信念から傷ついた彼女たちは立ち上がり、前に進んだ」。

出来事を全て物語化してマネーに変えてしまう達人は、のこぎりで切りつけられた事実をも「夢」で乗り越えるという物語に作り変えてしまった。この転換力があれば、自衛隊を「果てしない夢が広がっています」と誉め称えるのはお茶の子さいさいである。トラブルや困難は全て夢に転化できるのだ。被害を受けた当人は転化できまい。秋元康は2020年の東京五輪組織委員会の理事にも当然のように名を連ねている。理事には政界・財界・スポーツ界からの人選が多数、他業界からは元・電通の高橋治之や写真家の蜷川実花などの名も並んでいるが、いわゆるイベントプロデュース力を期待されている人選は秋元康のみ。後に「総合プランニングチーム」が設置され、歌手の椎名林檎や映画監督の山崎貴などの8人が選出され、そこに秋元の名前は無かったが、彼の主導する「日本に生まれてよかった」が全世界に発信される可能性はゼロではない。〝いっちょかみ〟のスペシャリストは最後まで絡もうとしてくるはずだから。

秋元康はエッセイ集『おじさんの気持ち』（角川書店）で、自分が「〝いいとこ取り〟症候群」だと語っている。野球はペナントレースの終盤しか見ないし、マラソンはゴール30分前からしか見てないのに充分感動してしまったと書く。「〝いいとこ取り〟症候群」を重ねてきた人には、どんな映画の中にも存在する繊細な表現力や本筋とは離れたところで積もっていく感情などを見定める事ができない。だからあのようなキャッチコピーになったのだし、この女の子のために何枚CDを買ってくれたかを平等な判断基準とする事しかできないのだ（それにしても、単純に問うが、このグループ周辺を褒め称える音楽評論家の人々は、なぜ搾取の構造を指摘しないのだろうか。必要悪は悪である。自分の仕事の確保のために、一緒になって物語を投じ続けることに恥じらいはないのだろうか）。

秋元の「〝いいとこ取り〟症候群」を語ったエッセイからもう一カ所引用する。

「オリンピックもサッカーのワールドカップも世界陸上も、いつもは全く興味のないスポーツに一喜一憂できるのだから、僕のミーハーさもたいしたものである」

こう書いたのは、２０２０年東京オリンピック組織委員会理事の秋元康である。絶対に〝お忘れなく〟。いっちょかみは、ギリギリになって行動を起こしてくる。

＊「〝いいとこ取り〟症候群」、さすがのコピーライティングである。東京五輪組織委員会の理事でもある秋元康は、会長だった森喜朗の女性蔑視発言に端を発する諸問題を前に沈黙した。この件では「いいとこ」を取れないと判断したからだろうか。うまくいっているところに顔を出し、うまくいっていないところには顔を出さない。この極めてシンプルなメソッドはいつまで機能するのだろう。

なんと、美しく下品であるのだろう

相次ぐ失言にしびれを切らした自民党の長老・伊吹文明元衆議院議長が、突如、政治家には、発言するにあたって気をつけるべき「6つの『た』」がある、と言い始めた。「6つの『た』」との前フリの時点でほとばしる、ちっとも役に立たなさそうなオーラ。新郎の上司のスピーチが、まさかのまさか、「結婚には必要な袋が3つある」

というアレで切り出された時に感じるいたたまれなさを思い出す。私たちはしばし心を無にしてそのスピーチに付き合うのだが、さて、6つの「た」、である。

自身が所属する二階派の今村雅弘復興大臣が「東北で良かった」と発言し辞任に追い込まれたことを受けたタイミングで、「6つの『た』」スピーチに付き合う従順な記者の皆様。その6つはこう。「立場をわきまえる」「正しいと思っていることを言うとき」「大人数の前で話すとき」「旅先で笑いをとろうとする」「他人の批判」「たとえ話は危険」。

振りかぶった割に大したことは言っていない。ご丁寧にもこの6つをパネルにして紹介するニュース番組を見ながら、ふと、米原万里の文章を思い出していた。「6つの『た』」のすべてに拘束されない文章を好む。米原のエッセイを好んで読んできた理由を「6つの『た』」のようなものへの反意とすることができるな、と気づく。伊吹議員のおかげだ。

米原は「立場をわきまえる」はずがなかったし、たとえ「正しいと思って」いなくとも〝ガセネッタ〟や〝シモネッタ〟を話し出してみたし、「大人数」の前だろうがなかろうがその舌鋒に緩慢さはなかったし、当然、彼女のキャリアは「旅先」＝移住先での経験がなければありえなかったし、「他人の批判」が盛り込む手つきにうっとりしたし、「たとえ話は危険」であればあるほど面白かった。

翻訳家の田丸公美子の弁によれば、生前の米原は「私の毒舌に耐えられる人だけが友人として残るのよ」と漏らしていたそうだが、その毒舌を別の言葉で言うならば、この「6つの『た』」に拘束されない物言い、ということになる。毒舌、そして皮肉、しまいに揚げ足取り。それらを優美に育て上げていくような数々のテキストは「た」的なものを打ち破るところから発生したと言っていい。

『不実な美女か貞淑な醜女《ブス》か』（新潮文庫）の中に何度読んでも笑える箇所がある。ある日本の民放局が、バレーボール中継の放映権をソ連国家ラジオテレビ委員会から買った。しかし、ソ連国家スポーツ委員会が試合中のコートの周りに看板を置く権利を、広告代理店を通じて日本の企業に売ってしまった。ライバル企業の広告が映像に映り続けてしまう。番組プロデューサーが激高し、「そういうのを日本ではね、『他人のふんどしで相撲を取る』というんだ」と迫る。

通訳を担当していた米原はとっさに訳した。

「他人のパンツでレスリングする」

相手は「豆鉄砲を食らった鳩のような顔をしてポカーンとした」のだが、一段落した米原はこう思った。

「よくよく考えてみると、ふんどしとはこの場合、力とか権威を意味するのであって、私の訳では不潔感しか残らないのではないかと反省することしきりであった」

米原のエッセイの中で群を抜く面白さというわけでもないのに、どうもここにツボが設定されたまま動かない。なんと、美しく下品であるのだろう、と思う。日本人のプロデューサーが怒りに満ちた表情で、他人のパンツでレスリングするようなものだ、と迫ってくる。もはや争点がわからず、他人のパンツの不潔感だけが残る。

ロシア文学者の金沢美知子は「見事なオチを作る」「オチのある話を作る」ことが「彼女の仕事の方法の根幹を支えている」と言う（『ユリイカ　特集・米原万里』2009年1月号）。「読者群衆を惹きつける話も『オチ』次第では凡庸でつまらないものに変わってしまう。そこで彼女が好んだのは最後に劇的に読者の予想を裏切ることであった。彼女は想像力の単純な前進運動を覆すことで、してやったりとほくそ笑んでいたのだろう」

オチ、という感覚は、このところ、日常の会話を侵食している。その原因をテレビバラエティに見つけ出すのはベタだけど事実だ。お笑い芸人という職種が、マイク一本を分け合うようにして漫才に励むよりも、大勢でたむろし、その中のコミュニケーションで笑いを作っていく構図で力を問われるようになってからというもの、芸人と素人の境界は消え、むしろその境目を無くす作業を繰り返す芸人こそが、親しみやすい笑いとして受け止められるようになった。話の「オチ」を求めるハードルが下がり、日頃のコミュニケーションにおいて、たいして面白い話もできないムードメーカーのような、まさにムードをメイクするくらいしか特性のない話者が「オチないんかい！」と人様の話にオチの有無でジャッジしてくる。従順な彼らはテレビを見て、それがどうやら面白さの基準だと学んでいるからである。

オチが広まった今、今度はオチが瓦解している。とりわけ「6つの『た』」を遵守する人たちのオチ。

たとえば、2017年の年頭、第193回国会で安倍晋三首相は施政方針演説をこんな話で締めくくった。少々長いが引用する。

「子や孫のため、未来を拓く。

土佐湾でハマグリの養殖を始めたのは、江戸時代、土佐藩の重臣、野中兼山だったと言われています。こうした言い伝えがあります。

『美味しいハマグリを、江戸から、土産に持ち帰る。』

兼山の知らせを受け、港では大勢の人が待ち構えていました。しかし、到着するや否や、兼山は、船いっぱいのハマグリを全部海に投げ入れてしまった。ハマグリを口にできず、文句を言う人たちを前に、兼山はこう語ったと言います。

『このハマグリは、末代までの土産である。子たち、孫たちにも、味わってもらいたい。』

兼山のハマグリは、土佐の海に定着しました。そして350年の時を経た今も、高知の人々に大きな恵みをもたらしている。」

なるほどいい話ではある。もしも、その時の利益しか考えずにハマグリをみんなで食べてしまっていたら、今、土佐の海に定着している豊かな海の恵みは味わえなかったわけだから。安倍はこれこそが、「未来を拓く」行動であったとし、私たちの行動によって未来は変えられるのだと熱弁を奮った。日頃の答弁では苛立つことも多いが、これはさすがにそうだよね、と頷いた、ということにする。

で、その翌日、高知新聞が困惑気味にこんな記事を出す。「高知はハマグリ乏しい安倍首相の演説『今も兼山の恵み』ウソ？」。地元漁業者は「ハマグリは全くなじみがない」と語り、そもそもハマグリの水揚げが少ないのだという。つまり、まったくのウソだったのだ。いい話で落とそうと思ったのか、極めて質の低いでっち上げが暴かれてしまった。

オチの瓦解をもうひとつ。共謀罪、という信じ難い法案が通過してしまった。どのような人たちが捜査対象になるのか、まったくわからないままに審議が進み続けた。首相は「そもそも罪を犯すことを目的としている集団でなければならない」（1月26日・衆議院予算委員会）と答えた。となると、そもそもは犯罪集団ではなく宗教団体だったオウム真理教などは、対象外になるのかと、野党から問い詰められると、首相は「『そもそも』の意味を辞書で念のために調べたら『基本的に』という意味もある」と答えた。で、新聞社からブロガーまで一斉にいくつもの辞書を調べたものの、「基本的に」という意味は一度たりとも出てくることは無かった。つまり、ウソをついた。すると、政府はこんな答弁書を出してきた。

「大辞林によると『そもそも』に『どだい』という意味があり、『どだい』に『基本』という意味がある」

　彼らの挑戦は止まらない。首相が自ら、念のため辞書を調べたと豪語していたものを、再びの答弁書で、「首相が自ら辞書を引いて意味を調べたものではない」と決定したのであった。結果的に「そもそも」は「どだい」経由で「基本」に行き着き、でも、それを調べたのは首相ではなく、首相ではない誰かであって、結果、共謀罪の強行の具材に付け加えられるのであった。

「風が吹けば桶屋が儲かる」に似た「こじつけ」がロシア語にもあると、米原の作品で知った。「肉を食うと風邪をひく」は、「肉を食う↓精力がつく↓勃起する↓寝ている間に毛布が引っ張られる↓毛布が持ち上がった分、毛布で覆われていた足先が出てしまう↓足が冷える↓風邪をひく」という流れ。なんともエロチックでドラマチックである。皮肉でも頓知でも毒舌でも、このように流れを統率していくことがもっとも大事なのであって、糞詰まりのような答弁を、アクロバティックに肯定していく「そもそも」な連中の皆さんは、６つの「た」などを守りながら、今この国の言葉を果敢に、懸命に、貧相にしていく。自分たちのオチに向かって乱雑に稼動するジャパニーズの脆弱さを思う時に、米原さんのテキストを思う。「他人のパンツでレスリングする」に笑い直す。

映画監督・作家の森達也と対談した折、タイの映画祭で日本の言論空間を語るのに「不謹慎」という言葉を使ったら、通訳から「そんな言葉はタイ語にはない」と困惑されてしまったという。電子辞書に入れてみると出てきた回答は「bad behavior」。悪い態度、悪い振る舞い。適訳ではない。「劣等感」という言葉を使うのも日本人の特性。これを教えてくれたのは米原だ。神津十月《かんな》との対談で、「十四歳のときに日本に帰国したときに、『劣等感』という言葉がやたら飛び交っていて、とても新鮮に感じた」。彼女が学んだプラハの学校では「足の引っ張り合い、妬みという感情が稀薄で」「劣等感がまったくない」のだという。不謹慎と劣等感にがんじがらめになり、オチを求められて、緩慢なオチを出す。嘘をつく。液状化するように日本語が壊れていく。

米原さんの「6つの『た』」を忖度しないエッセイが悔しいほどに愛おしい。「他人のパンツでレスリングする」から世界は開かれる。首相の頭のなかにある高知のハマグリのように、米原の言葉は「人々に大きな恵みをもたらしている」。

＊「自粛要請」という摩訶不思議な言語、つまり、自ら進んで言動を慎んでくださるよう求めてくる動きに素直に従ったジャパンだったのだが、みんなと同じであろうと急ぐ様子を見ながら、管理したい人たちは、ああ、なんと、管理しやすい人たちなのだろうとほくそ笑んだに違いない。若者たちの会話には「オチないんかい」が頻出するが、自粛を要請するほうには、オチがなくても、なぜか一向に許されるのであった。

思うがままに糞をする

水木しげるは、とにかく屁と糞の描写が好きだ。50人の定員に51人が受験して、たった一人だけ落とされてしまった大阪府立園芸学校の入学試験で、校長から「君、園芸というと花作りなんかで楽しいと思っとるか知らんが、百姓仕事は、時にはくさったクソをなめなきゃならんこともあるんだよ」と問われた水木は、「僕は、クソは平気です。赤ん坊の時には手についたクソをなめたことがありますし、小学校では、教室でよく屁もしました」「猫のクソを菓子とまちがえて食べたこともあるんですよ」と返して、校長先生を困らせた（水木しげる『ねぼけ人生』ちくま文庫）。

屁と糞の話をする時、水木はいっつも嬉々としているが、水木の娘・悦子は「おならをすると喜ばれる家だった」と追想している（水木悦子・手塚るみ子・赤塚りえ子『ゲゲゲの娘、レレレの娘、らららの娘』文春文庫）。「小学校までは、おならはみんなが喜んでくれるものと信じて」いたというから、よほど屁に歓喜してきたのだろう。そんな水木の屁好きは、父譲り。作家を目指しながら同人誌を作っていた父は、屁の話をテーマにした作品を作っていたこともあるという。記憶は曖昧、としながらも、その作品の出だしは「吾輩は屁である」ではなかったか、と水木は後に振り返っている。そんな曖昧な記憶があるだろうか。

自分が小学生の頃、学校の図書館に僅かばかしの漫画コーナーがあり、漫画だからという理由だけで、頻繁に借り出されていた。所蔵されていたのは「日本の歴史シリーズ」と「はだしのゲン」と何作かの水木しげる作品。加藤茶が「うんこちんちん」で半永久的に笑わせたように、子どもたちは、うんこやちんちんから起動するネタを見つけては一気に流行らせる。あそこのシーンはとにかく笑えるよな、と周知されている箇所が二つあった。一つは「日本の歴史シリーズ」。風呂に入っていた戦国武将だったか、敵が近付いてくるのに驚き、スッポンポンで風呂を飛び出るシーン。史実に基づいているかはさておき、突然のことに慌てふためいて、ちんちんをぶら下げたまま逃げ惑う一コマに笑い転げたのだ。

もう一つが、水木しげる『総員玉砕せよ！』（講談社文庫）の一コマ。『ゲゲゲの鬼太郎』などとは違って貸し出し中になることが少なかったのはグロテスクな描写が目立ったからかもしれないが、大人になって読み返した時に、内容を理解していなかったものの、ある一コマが「笑える」と話題になっていたことは覚えていた。水木しげるの分身として描かれる丸山二等兵が、ドラム缶風呂に入る場面。仲間に「俺風呂へ入って小便こいとくから中公（中隊長）のところへ行ってこいよ」と言ってからすぐ、風呂の中で「プリプリ　ポア」と効果音を立てて屁をこいてしまう。それを見た仲間の兵士が真顔で「お前糞こくなよ」「軍法会議ものだぞ」と言い放つのだ。シリアスな話に突如浮上する屁と糞の話題、まさしく小学生の大好物だった。

加藤茶が「うんこちんちん」を連呼することで子どもたちの笑いをさらっていったのは、「うんこ」と「ちんちん」の連呼が、この程度なら親が顔を顰めることもないだろうと、一方的にギリギリのラインをＰＲし続けた成果でもある。投じる側でコンプライアンスを勝手に設定していたのだ。水木が描いた、小便を風呂の中で垂らすことを告知しつつ、次の瞬間にうっかり屁をこいてしまうコミカルさもまた、小学生が笑ってしまえるギリギリのラインだったのか。その風呂の描写の少し前には、慰安婦に列を連ねる兵隊たちが「あと70人位だがまんしてけれ」「俺あ　さわるだけよ」と勢いづく兵士たちも描かれてはいるのだが、このことが意味するところは、当然、よくわからなかった。

風呂の中でこいた屁が空気として放たれる瞬間を的確に捉えた効果音「プリプリポア」。水木作品ならではの効果音と言えば、ビンタされた時の「ビビビビン」や、気分が高ぶった時に鼻から空気を出しながら放つ「フハッ」だろうが、このコミカルな屁の描写「プリプリ　ポア」のインパクトも記憶しておきたい。

1943年に召集令状が届き、兵隊となった水木。真っ先に苦しんだのは、便所があまりにも長く、点呼に遅れてしまうことだった。班長から「クソをしたいなら早起きするか、寝る前に便所でも行っておけ」と言われていたものの、〝スロースターター〟の水木は、固いクソがようやく出始めるころに朝の点呼のラッパが聞こえてしまうという状態。なんとかひねり出したものの、たったの五分で「脱走兵が出た」と大騒ぎになってしまう始末。水木は、あろうことか、その脱糞の模様を「事細かに身振り手振りを交えながら説明」したところ、「『ふざけるんじゃない！』と、こっぴどく殴られ」たという（水木しげる『ゲゲゲの人生　わが道を行く』日本放送出版協会）。

水木はドイツの哲学者ゲーテを信奉していたが、糞にかぎって言えば、ゲーテよりもフランスの哲学者モンテーニュの見解をお薦めしておきたい。彼は糞について、こう熱弁していた。

「王も哲学者も糞をする。御夫人方もまた然り。……だから、この行為について私はこう言いたい。……それを夜間の予め決められた時間に限定し、そして私のしたように、その時間に自分を合わせるように努めなければならない。……あらゆる自然の行為の中で、私にとって中断されるとこれほど苦しい行為は無い。私は多くの軍人が腹の調子が狂って難儀しているのを見た。私の腹もけっして約束の時間に遅れることはない。つまり、なにか重大な用事か病気に邪魔されない限り、起きがけである」（モンテーニュ『エセー』／ロジェ＝アンリ・ゲラン『トイレの文化史』ちくま学芸文庫内より引用）。

水木は、漫画家としての一日の過ごし方について語っている。やっぱり、軸となるのは糞だ。昼過ぎに目を覚まし、コーヒーを飲み、果実屋に安いバナナの盛を見つけに行き、新聞を読みふける。なかなか仕事をしない。続いて糞をする。「小生はムリに出すようなことはしないからゆっくりまつ」、そして、タバコを一本吸ってから、「耳クソ、ハナクソ……といったものを心ゆくまでとらなければならない。名力士ほどしきりの時間が長いのだ」（水木しげる『人生をいじくり回してはいけない』ちくま文庫）。無理やり糞をひねりださなければならなかった軍隊生活への苦悩が、その後の、心ゆくまでの〝排泄描写〟に繋がっていたのかどうか。

つまり、糞を思うがままにできるのは、己が自由である証拠。食って、屁をする。食って、糞をする。戦争の記憶を語る際、いかに生き延びたか、食糧をどう保ったか、いかにして新たにありついたのか、という着眼は多い。でも、モンテーニュが見てきたように、そして水木が体感してきたように、世の兵隊は、食の不自由とともに糞の不自由にも苦しんできた。自由気ままに屁をこき、時間の許す限り糞をする、という幸福。糞は、自由の象徴なのだ。戦争は糞を奪う。

糞を崇め、祖先が残した糞を食糧としている奇特な島に赴任した教師の戸惑いを描いた『糞神島』は、水木しげるの「うんこ道」を煮染めたような一作だが、起きて、食って、糞して、寝るという直感に準じた暮しを希求した水木ならではの実直な一作である。「プリプリ　ポア」という放屁には、水木作品の哲学が詰まっている。自由気ままに糞ができること、それは、平和とはなにか、戦争とはなにかにも答えてくれる。

＊東日本大震災から10年が経過した2021年、当時はまだ小さな子どもだった人たちが、高校生として、あるいは大学生として、今、思うことを述べていた。当時の記憶はあまりないのですが、とにかく泣き叫んでいたそうです、といった具合に。当時を知らない人たちが、風化してはならないと言っている。先の戦争もそうなのではないかと思う。つまり、私はあの戦争を直接的には知らないが、直接的に知らなくても、あの戦争を語り継ぐことはできる。矛盾するかもしれないが、この矛盾を抱えたままでいいのではないかと、この原稿を読み返

しながら思った。

第4章　政治の気配

政治家の言葉は軽い。常に軽いのだから、軽いママでもしょうがない、やることをやってくれていればいいよ、と冷静になることもできる。現に安倍首相は、失言を吊るし上げていても仕方が無い、政治は結果だ、というような牽制を繰り返す。ちょっとした発言にイチイチ突っ込んでくるんじゃないよ、と煙たがる。彼や彼らは強気の言葉を述べて、その反復でいつの間にか輪郭を作り、それをひとつの結果として見せつける技術を持っている。或いは、世の懸念を受け止めて、確かに問題ありかもと思案し、検討し、それでも必要ですよね、と持論を変えずに結論に持ち込む技術を持っている。憲法改正に賛成ですか、反対ですか、議論していきましょうと問われた時、その議論が必要かどうかから疑う人を議論のテーブルにあげない。私は反対ですね、ではなく、そんな問いかけ必要ないよ、があって然るべきなのに。政治家の言葉の軽さを許すからこそ、政治は暴走する。違和感や憤怒を引きずるためには、政治家の言葉を執拗に引っぱり上げるべきだと考える。それは、失言ではなく、発言である。失言と言うから、彼らは「真意ではない」などと逃げる。政治家の発言を捕まえることで、この国の佇まいが見えてくる。

胸に刻み続ける〝官設〟話法

大阪府高槻市で中学1年生の男女が消息を絶ち、そのうちの女児が遺体となって発見された、という報が流れる。もう1人の男児は依然消息不明、という時分に夕刊を開くと、その両者の卒業文集が並列している。「たのしかった卒業旅行」というタイトルが1人、「思い出」というタイトルが1人。その名前も、笑顔の写真も、作文の冒頭部分も、同じレイアウトで掲載されている。扱いは均等だ。

見出しには、依然行方不明の男児に向けて「『早く見つかって』同級生ら無事祈る」とある。記事に記されているどの気持ちにも、どの事実にも、誤りはない。でも、卒業文集が並んだこの紙面構成は、どこまでも誤っているのではないか。消息を絶った若き男女2人のうち、1人が亡くなってしまった。そうすると私たちは、口には出さないものの、もう1人もすでに亡くなってしまったのではないかと思う。消息を絶った当時、男児は女児と同じ環境下に置かれていたと繰り返し知らされている。しかし、そんな腹心は、間違っても表には出さない。おそらくそうなのかもしれない、という心持ちを隠しながら、そうであって欲しくないと口に出す。どちらも本心である。

　ワイドショーでは、この二つの本心のうち一方だけを使い、最悪の結果を想起させるような報道を仕立てる。この人たちは、自分たちの無責任な推察が、あくまでもこの瞬間だけで立ち消えると知っているからこそ、最悪の結果を漂わせる。不安定な状況にある生徒の卒業文集を均等配分で開示するスタンスも同様なのだろうか。今、こういう状況にありますけれど、2人ってこういう感じだったんですよ、と拡散していく。悲しみや苦悩を、もっとも強い方法で引っ張り出そうとする安直さの中で、真っ先に2人の人となりが軽視されていく。

　そもそも私たちはなぜ、死亡した女児と行方不明の男児の卒業文集を、平気で与えられてしまうのだろうか。目の前に突き出されるのだろうか。この手の悪癖は考察することを怠りっぱなしにすると、「悪」が外れて、ただの「癖」になる。常習化する。結果的に逮捕された男は40代の男だった。その数日前、取り調べ歴ウン十年の識者は、「2人と同年代」が犯人である可能性が高いと豪語していた。毎回同じようなことを述べているが、犯人が捕まった後で「うわっ、やべー」とは思わないのだろうか。やべーと思わないから、また出てくるのか。それって、やばくないか。やがて、男児も遺体で発見されてしまった。その男児の卒業文集を、私たちは事前に読まされている。私たちはなぜ、慣らされているのだろう。こういう空気は誰が作り、どうしてすっかり嗜まれるようになってしまったのだろう。

２００1年にＮＨＫで放送されたＥＴＶ特集『戦争をどう裁くか　第2夜「問われる戦時性暴力」』の放送内容について、当時、内閣官房副長官だった安倍晋三や経済産業大臣の中川昭一が事前に放送内容に口出しした件は、プロデューサーだった永田浩三『ＮＨＫと政治権力』（岩波現代文庫）に詳しいが、永田によれば、安倍が放送総局長を呼び出し「ただでは済まないぞ。勘繰れ」と言ったという。２０１7年の流行語大賞には「忖度」が選ばれたが、この空気を当たり前にしたのは、テレビの制作者に対して「勘繰れ」とキレてみせた人が国を運搬しているからではないか。

戦後70年に際して発表された安倍談話は、ただひたすら間接話法に徹していた。直接話法を避けることで、全方位的に空気を読んでみせた。「植民地支配」「侵略」「おわび」「反省」というチェックリストを画面脇に用意しながら、この談話の立ち位置がいかなるものかチェックしようと試みたテレビ番組もあったが、キーワードの有無や数量だけではこの談話の意図は掴めまい。とはいえ、談話を通読して、思わずチェックしてしまったのは「胸に刻み」という言葉である。その数6回。安倍談話は、6回も胸に刻んでいたのだ。

該当部分を抜いてみる。

「隣人であるアジアの人々が歩んできた苦難の歴史を胸に刻み、戦後一貫して、その平和と繁栄のために力を尽くしてきました」

「歴史の教訓を深く胸に刻み、より良い未来を切り拓いていく」

「私たちは、自らの行き詰まりを力によって打開しようとした過去を、この胸に刻み続けます」

「私たちは、二十世紀において、戦時下、多くの女性たちの尊厳や名誉が深く傷つけられた過去を、この胸に刻み続けます」

「私たちは、経済のブロック化が紛争の芽を育てた過去を、この胸に刻み続けます」

「私たちは、国際秩序への挑戦者となってしまった過去を、この胸に刻み続けます」

刻みすぎである。この安倍談話はかつての談話と比べても数倍の長さとなっていたが、これだけ頻繁に「歴史」や「過去」を胸に刻み続けたことからもわかるように、対外的にアピールするための積極的な言葉を出来る限り抑え、とにかく諸々を受け止めまくって、ただただ胸に刻み続けた。西野カナという流行りのシンガーには片想いソングが多く、歌詞でしょっちゅう「会いたい」と連呼するものだから、いつになったら会えるんだ、早く会いに行けよ、と揶揄されたりもしている。しかし、その想い自体は実直ではある。西野談話が毎度募る想いを切実に吐露しているのに対し、安倍談話はとにかく受け止める姿勢だけをいたずらに貫き通す。その姿勢は、果たして実直だろうか。本当に胸に刻めているだろうか。

過去の見解を受け止めているんですという消極性を連呼し、それを成果として強引に押し出し、肝心の真意、政権としての主観をはぐらかす手法をとる。これだけ胸に刻まれると「私たち、とにかく胸に刻みましたので」と滞留させながらも、あたかも一歩踏み込んだかのような雰囲気を作り出すことができる。その気配を国民が察知し、この国の空気が決まっていく。

安倍首相は、

「あの戦争には何ら関わりのない、私たちの子や孫、そしてその先の世代の子どもたちに、謝罪を続ける宿命を背負わせてはなりません。しかし、それでもなお、私たち日本人は、世代を超えて、過去の歴史に真正面から向き合わなければなりません。謙虚な気持ちで、過去を受け継ぎ、未来へと引き渡す責任があります」

と言った。

この言葉に、あの戦争には関わりのない子の世代にあたるこちらは頷かない。あの戦争に関わりのないこちらは、あの戦争に「何ら」関わりがないのかについて、即答しようと思わない。継続して、或いは新たに、考えなければいけない責務がある。ましてや人様から、オレたちが謝っておくから、もう謝罪はしなくていいよ、と決めつけられる筋合いはない。責務を感知した以上、まだまだ謝罪が必要になるかもしれない。もういいかと思うかもしれない。いずれにせよ、そちらではなく、こちらが判断することだ。「謙虚な気持ちで、過去を受け継ぎ、未来へと引き渡す責任」を持つ人は、身勝手にタイミングを設けて「何ら」とは言わない。何でもかんでも胸に刻んで済まそうとする人は、一人ひとりが向き合うプロセスを断ち切ってしまうかもしれない可能性に気付いていないのである。いや、気付いているのかもしれないが、それよりも彼が国民に要請するのは「勘繰れ」である。

山本七平『「空気」の研究』（文春文庫）は、とりわけ3・11以降、決定に至るプロセスを曖昧にしたまま、万事を空気で稼働させてきた日本社会を突つく際に、頻繁に持ち出されている文献である。「忖度」や「印象操作」といった流行語もこの系譜にある。世間が空気を読みすぎたあまりにあちこちで芽を出してしまった原発がいよいよ爆発すると、「空気の読めない人にはなりたくないという空気」が辺りに敷き詰められ、不安感を吐露するよりも、諸々悟っている自分をプレゼンテーションしようとする「空気」がたちまち生じた。賛成⟷反対、安心⟷不安のグラデーションを見て、どの「空気」に所属しようかと、「空気」の見本市のような状態が続いた。

あの日から作られ続けている「空気」は、目新しい「空気」を作ったり、「空気」を切り替えたりしているわけではない。少なくとも中枢はあちこちに表れる空気なんてものを気にしてこなかった。前出書に「空気の責任はだれも追及できないし、空気がどのような論理的過程をへてその結論に達したかは、探究の方法がない。だから『空気』としかいえないわけだが」とある。煮え切らない書き口だけど、未だに追及の方法は見つかっていない。ただその「空気」を敏感に察知する人達が、いつまでも反対していても……という空気を作り上げてくる。時折聞こえる、原発再稼働へ、との判断は、残念ながらその結果報告となっている。

安倍政権に向かう世相を「今なお『空気』に支配される国」（『新潮45』2015年9月号）と分析したのは社会思想家の佐伯啓思である。安保法案は「衆議院の安保法制に関する憲法審査会での憲法学者の発言によって、『空気』が変わってしまった」とし、この空気を醸成したのはマスコミであり、「『空気商売』に取り囲まれた政治の方も、何を相手に言葉を発し説得しているのかわからなくもなるでしょう」と指摘する。

果たしてそうだっただろうか。憲法学者の発言は「空気」を奪うためのものではなかった。その指摘はやがて確かな空気を作り上げたが、しっかりと姿を現し始めた空気を必死に薄めようとした政権側は、「全く違憲でないと言う著名な憲法学者もたくさんいらっしゃる」とひとまず応戦した挙句、数名しか挙げられないことに気付き、「私は数じゃないと思いますよ」とあたふたし（いずれも菅義偉官房長官の発言）、適当すぎるアプローチを露呈させてしまった。

違憲だと主張する勢いに対し、合憲という主張では押さえつけられないと気付くと、何とかの一つ覚えのように「対案を出せ！」と凄み、ねじ伏せようとする。「数じゃないと思います」と言いながら、いつだって数に頼って国会審議を進めていく。でも、その矛盾は検討されない。彼らは、あらゆる矛盾を胸に刻むのだ。反省せずに胸に刻むのだ。


福田恆存が「『大衆』とは何か」（「大衆は信じうるか」・『福田恆存評論集』第7巻・麗澤大学出版会）と題してこんなことを書いていた。

「本当に、大衆とは何か。そのことを人々は考へてみたことがあるのか。その意味がよく解つてゐて、その言葉を用ゐてゐるのか。おそらくさうではあるまい。（中略）目に見える集りは、大衆ではなくて群衆である。では、大衆と群衆はどう違ふのか。さういふことすら一度も考へてみたこともない人間が、大衆を信じないといふ私の言葉に機械のやうに機械的な反撥を示す。考へてみたこともないからだ。無条件に大衆といふ言葉を信じ、それをただ言葉として押しつけてくる風潮を信じてゐるのである」。

これはかつての安保デモに向けられた苦言であるのだが、このご時世、その苦言が似合うのは「人々」ではなく、「私が総理大臣ですから」と宣言して持論を愛でる人や中枢の皆々様ではないか。群衆には目をつむり、数値から編み出される大衆にすがり、もう既に完成されている風潮だけを活用していく戦略が見え透ける。完成されている風潮、とは日本語として正しくないが、正しくない形容でしか言い表せない。安保法案を「選挙時に公約として掲げ、国民から支持をいただいていた」と繰り返した安倍首相だが、２０１４年の衆議院選挙の自民党公約で安保法案について記したのは「全２９６項目の中で、２７１番目の１項目」（２０１４年８月24日・東京新聞）にすぎなかった。これを「支持をいただいていた」に変換できる態度は今なおも続く。「国民の理解をいただいた」というフレーズを更新するために「国難突破解散」と銘打って解散し、野党内の稚拙なイザコザもあり選挙前とほぼ同じの議席を確保した自民党は、レンタルビデオ屋の会員カードを更新するように「これにて国民の理解をいただいた」を獲得する。「空気」という間接話法が、〝官設〟話法として機能してしまうのである。そして、物申そうとした途端に「勘繰れ」と言われてしまうのである。

＊安倍晋三首相が胸に刻み続けている間、ずっと官房長官を務めていたのが菅義偉。その時々の気分が顔に出てしまう安倍首相に比べて、菅官房長官は冷静に、あるいは冷徹に、記者からの問いに答えているとの印象をもっていた。だが、いざ、首相の座を受け継ぐと、その冷静さ・冷徹さは早々にぐらつき、菅首相はやたらと「〜じゃないでしょうか」という言

い回しを好んで使うようになった。記者にせよ、国民にせよ、直接質問される機会を極力減らそうとするのが両者の共通項だが、菅首相の場合は「〜じゃないでしょうか」によって、続く質問を止めようとする。あなたが聞こうとしていることはもう既成事実になっている内容なんだから、いちいち聞くんじゃないよ、という牽制。これ以上、自分に話させるんじゃないよ、と威圧する。でも、その「〜じゃないでしょうか」は、決して定まってはいないのだ。だから聞いているのに。その場限りの言葉を放ち、後で整合性に欠けていると指摘されると、もうそれは終わったことだと黙り込む。言葉の軽視が、似た質感で持続している。

「他よりマシ」と付き合う

この数年来、安倍政権の支持基盤はどこにあるのか、との問いが投げ続けられているが、その答えに辿り着いた感触はなく、どこまでも問いだけが宙に浮いている。いや、そもそも基盤という言い方は正確ではないのかもしれない。世論調査から漂う主たる支持の理由は、「他の政党よりはマシ」との妥協だ。「前の部長よりはマシ」とか「隣の奥さんに比べればカワイイ」とか「各駅が止まらない隣駅よりこっちが住みやすい」に似合う言葉は「妥協」なのに、彼らはずっとそれを「支持」と言い張ってきた。強固な支持基盤とは異なる妥協的支持を、不安視せず、自ら洗脳するように巧みに運搬するのに長けてはいる。

アベノミクスという、自分で自分の名をかざした経済政策を連呼し、その蜜につい つい誘われてしまった人の肩を後々叩き、選挙公約の隅っこにあった安全保障法制について「前々から賛同してくださってましたものね」と微笑みかけ、「国民から信を得た」と強気で言い張る。基盤を固めるのではなく、盤をあやふやにしておきながら、いざという時に、これは基盤であり、既に支持を得ていたんですと言い張る論法が続いてきた。憲法改正の議論について、具体的な改憲項目を野党に問われても、当初、安倍首相は「国民の理解を得る努力が不可欠であり、国民の理解の深まりの中でおのずと定まってくる」という発言を繰り返していた。「私たちではなく国民が決めることである」で牽制し、ある日突然、「国民が決めてくれと言ってくれたようなので私たちで決める」と反転させることにより、国民的な議論に持ち込もうとする。憲法改正に賛成ですか、反対ですか、との問いがそもそもおかしい。そのまんまでいいよ、という回答をいつまでも諦めてはいけない。その回答は決して無責任ではなく、勝手に2択で問うてくるほうが責任を有していない。

小説家の赤坂真理は現憲法について、「『もらったものだけど、美しく、精神的な文えになってきました』と言えばいい」と言う（朝日新聞・2017年11月3日）。現憲法はアメリカに押し付けられたものなのだから変えなければ、という意見と、戦後70年、一度たりとも戦争を起こさなかったのは現憲法のおかげだ、とする意見は、冷静に討議する場を持てずに、いたずらに刺激し合っている。米国で天皇の戦争責任について問われる少女を描いた小説『東京プリズン』（河出文庫）を記した赤坂は、「GHQの民政局が草案を書きました」と認めた上で、それを精神的な支えにしてきたと肯定すべきだという。立憲主義に戻ろう、と言われた時の「憲法」を果たして共有できているのかどうか。改憲派、護憲派問わず、「憲法は時の政権や政府の上位にあるもの」との姿勢から確認し直さなければいけない。

国政選挙がおこなわれる度に「実際に自民党に投票したのは国民の〇分の1にすぎない」といった結果を導いては、取り急ぎの安堵と結束が不支持層にもたらされるわけだが、むしろ、その「すぎない」状況が続いているのに彼らが盤石だと言い張る欺瞞を執拗に問わねばならないだろう。基盤があやふやなのにやりたい放題がまかり通ってきたのはなぜなのか。「前の部長よりはマシ」と言われる部長が、これまでの部長とは違ってピカイチと自分で思っていらっしゃるようなのである。ご指摘差し上げるべきだろう。

今に始まったことではないけれど、このところ安倍首相や閣僚は、「民主党時代よりもマシ」という返答をあらゆる案件に使うようになった。会社の例えを続ければ、5年も前に退いた社長の悪口を言いながら「アレよりマシ」と社員に訴えかける社長を、果たして社員が信頼するであろうか。無論、彼らの頭には支持基盤を固めるよりも「他の政党よりはマシ」を強めるほうが、来たる選挙で勝つためには有効だとの判断が繰り返されている。他店への文句を言いふらして集客するようなお店に行列ができることはないはずなのだが、悲しいかな、「ウチのラーメン、他よりマシですよ！」が行列の理由として機能し続けている。

例えば2016年3月2日の参議院予算委員会での論議。高まる子どもの貧困率について、安倍首相は、民主党（当時）・蓮舫議員とこのようなやり取りを交わしている。

安倍総理大臣「まず、相対的貧困率が安倍政権のときにアベノミクスでこれは悪くなっているということではないわけでありまして、それは、まだ安倍政権ができてからはその言わば調査はされていないわけでありまして、先ほどの御紹介いただいた資料は、これは2012年、民主党政権時代の数値であるということは申し上げておきたいと思います」

蓮舫議員「子どもの貧困は、どの政権であろうとどの政党であろうと最優先で取り組むということは変わらないと思うんですよ。自分の政権でまだ数値が出ていないから、民主党政権の数字じゃないかという、そんなちっちゃいことを言わないでくださいよ、総理大臣が。事は大きな問題なんですから」

安倍「2012年の数値であるということは、これは事実として申し上げたわけでありまして、これは、どの政党であろうと取り組んでいくことは大切であろうと。しかし、どの段階での数字かということは、これは小さなことではなくて、やっぱり大切なことではないかと、こう思っている次第でございます」（参議院予算委員会会議録より抜粋）

たぶん、もう一回くらい読んでもらったほうがいいと思うが、もう一回読んでも、わからないものはわからない。回りくどいだけならば致し方ないが、回りくどい結果、よく意味がわからないのであった。なかなか深刻である。安倍首相の答弁はこのように終始おぼつかないし、感情的な切り返しも多く、決してテクニカルではないのだが、「こっちこそ言わせてもらうぞ」と勇む時だけ強くなる。「どの段階での数字かということは、これは小さなことではなくて、やっぱり大切なことではないか！」は、喫緊の議題から逸れようと試みる論理展開に違いないのだが、「他の政党よりはマシ」という選択を維持させるためには効果てき面である。自分たちが声を張り上げるよりも、対抗馬の足場を液状化させるほうが手っ取り早い世相であることを知っているのである。国民の関心を自分たちに呼び寄せるよりも、国民の直視を避けるほうが現状を盤石に維持できる。そして、ある日突然、「国民が決めてくれた」と様々な物事に対して用い始めるのである。

アメリカにせつかれて特定秘密保護法を通し、祖父の悲願だった安保法制に手をつけ、経済界に微笑みながら原発を再稼働させる。東京五輪でのテロ対策と紐づけして共謀罪を成立させ、アメリカに褒めてもらうのを待ってみる。受動的だけど居丈高、という謎めいた暴走が続くが、いつだって主体的な政治判断であるかのように変換する話法に長けている。過去との比較ばかりを明確にし、現在をあやふやにし、未来を闇雲にハッピーに規定する政治は、一見視野が広そうに思える。現在をあやふやにするために、過去と未来を乱用してはいけない。そんなものは錯覚ではないのか。逃げるために過去と未来があるのではない。

目の前に汚れているお皿があって、これ、どうするの、と問いかける。この汚れのほとんどが、ボクが使う前からあったものなんだよと言う。それに、これからキレイになるからさ、と言う。そんなことを言いながらテーブルに鎮座している人を私はどうしても信じられないのだが、少なくない人がそれを信じている。現在をあやふやにすること、そして、過去と未来に逃げること、この時間軸を統率しながら、安倍政権の基盤らしきものがあやふやなまま機能し続けている。あやふやなままでよし、とほくそ笑んでいる。お前は何をしているのか、とシンプルに問いかけるべきだ。

＊「『ウチのラーメン、他よりマシですよ！』が行列の理由として機能し続けている」という指摘は、残念ながら、いまだに通用してしまう。政治の世界で、どんな汚職があろうとも、判断ミスがあろうとも、でも、どうですか、他よりマシではないでしょうか、と問いかけると、確かにそうですね、他よりマシかもしれません、と言いながら暖簾をくぐってくれる人がいる。そんなラーメン屋はないだろう。でも、政治の世界では存在する。民主党時代よりはいい。他の国に比べればいい。目線を逸らすための技術ばかりを鍛え、自分に向けられる目線に耐えようとはしないのだ。

憤りを引きずる

２００６年から２００７年にかけて大ブレイクを果たしたお笑い芸人に、ムーディ勝山がいる。スーツ姿に蝶ネクタイ、直立不動で顔をしかめながらムード歌謡を歌うのだが、その歌詞には特に意味がない（ことで笑いを作ろうとする）。頻繁に披露されていたネタは、「右から来たものを左に受け流す」である。歌詞はこうだ。

「右から〜右から〜なにかが来てる〜　僕はそれを左へ受け流す〜　いきなり〜やってきた〜　右からやってきた〜　ふいにやってきた〜　右からやってきた〜　僕はそれを左へ受け流す〜」

受け手の反応は素直なもので、右からやって来たものをそのまんま左へ受け流しちゃったら意味ないじゃん、と笑っていた。これが10年ほど前のこと。

数年前にブレイクしたネタと言えば、とにかく明るい安村の「安心してください、はいてますよ」である。ブリーフ一丁の芸人が、あたかもはいていないかのような際どいポーズをとり、仁王立ちして「はいてますよ」とブリーフを指差し、笑わせるのだ（その後にブレイクしたアキラ100%も、基本的な狙いは同じだ）。以前、作家の重松清と対談した折、重松が唐突に「この安村の言葉には批評性がある」と言い始めた。「いままでは『安心できないぞ』『だまされているかもしれないんだぞ』というのが陰謀論的なアプローチだったんだけど、〝なんてこたなかった、はいていた、安心してください〟っていう裏返しの批評性がある」（『現代用語の基礎知識2016』）

瞬時に消えていく時々の流行語は、無意識に世相を反映する、のかもしれない。思えば、ムーディ勝山が活躍したのは第一次安倍政権下、とにかく明るい安村が活躍しているのは第二次安倍政権下である。「右から来たものを左に受け流す」という歌詞をバカに出来たのは、まだまだ受け取る側が何かしら思考することをあきらめていなかったから、であろうか。あれは、「受け流しちゃダメでしょ」との突っ込みが共有できてこそ笑えるネタだった。一方、安村のネタは、受け取る側が何かと忖度してしまう状態について、「いやいや、皆さん、なに心配しちゃってんの」と知らせてくれる。かつては「受け流しちゃダメでしょ」と小馬鹿にしていたのが、今では「なに心配しちゃってんの」と小馬鹿にされている。この差異、矢印をそのままひっくり返してしまったようなのが興味深い。

この元となる原稿を書いたのは2015年。その頃を思い返しながら、補足していく。安全保障法制を巡る議論を中心に、安倍政権の自由気ままな暴走が目立ち、それは単に数の論理に任せた暴走だったわけでもなく、それなりに世相を読み取りながらの暴走ではあった。その作法が特段テクニカルだったわけでもない。肝心要の場面で閣僚たちの答弁は豪快に浮つき、火傷を恐れるあまり、決まりきったフレーズにすがり、気が抜けた時にこぼれた本音は、軒並み失言として問題視された。しかしながら彼らは、失言を急いで鎮火するのではなく、「失言を拾っているだけの揚げ足取りのメディアは日本が直面している危機を直視できていない」という風土を、ネットの片隅にいる声のデカい仲間と連帯して作り上げることで、逃げ切る道を舗装し続けた。

国会答弁では、とにかく、議論が深まらないようにはぐらかすことが一義とされた。安倍首相は、野党議員が話している間に「早く質問しろよ！」とヤジを飛ばし、自分は人の意見など聞き入れる必要のない立場なのだと自分で自分を励ますように「私が総理大臣なんですから」と外からの意見を拒絶した。野党議員が「戦争法案」という言葉を使えば、その言葉がいかに不適当かを指摘するまでもなく、議事録から取り消すように働きかけた。議論を深めずに、相手の言葉を根っこから刈り取ろうとしたのだ。

明らかに憲法違反である集団的自衛権の行使容認を推し進めた安倍首相とその周辺は、議論に持ち込もうとするための言葉を投じる度に、「そんなのはレッテル貼りだ」と反復した。野党が放つ「戦争に巻き込まれる」をレッテルとするならば、与党が放つ「戦争に巻き込まれない」もレッテルとなるのだが、レッテル貼りの応戦状態を作り上げれば、期限が設けられている以上、数の多いほうが押し切ることができる。それを知った上で、繰り返す。最終的に、やれやれ不毛な議論が続いてしまいましたね、と添える。

かつて立憲主義という言葉を知らずに、Twitterに「時々、憲法改正草案に対して、『立憲主義』を理解していないという意味不明の批判を頂きます。この言葉は、Wikipediaにも載っていますが、学生時代の憲法講義では聴いたことがありません。昔からある学説なのでしょうか」という、何カ所も突っ込みどころのあるツイートで卒倒させた礒崎陽輔首相補佐官による「(安保改正は) 我が国を守るために必要な措置かどうかで、法的安定性は関係ない」という痴れ言はさておき、安保法制の議論の渦中に漏れ伝わってきた「とにかく通しちゃえば後はどうにかなんだろ」という働きかけには、国民の葛藤を舐めきった言い分が目立った。高村正彦自民党副総裁は「国民に十分に理解が得られていなくても決めないといけない」と言い、麻生太郎財務大臣は、SEALDsの存在について「自分中心、極端な利己的考え」とツイートした武藤貴也議員に対して「自分の気持ちは法案が通ってから言ってくれ」と言った。麻生は2017年秋の衆議院選挙の後、自民党の勝利を「北朝鮮のおかげ」とも言った。

私たちは繰り返し、ねぇ国民のみなさん、これからあなたたちを騙しますからね、ほらほら、今、騙してますからねと公言されているのである。安保法制が成立したのは9月の大型連休・シルバーウィーク前だったが、連休前の成立を死守したのは、大型連休を挟めば国民が忘れてくれるという算段があったから。これだけ騒いでいるけれど、連休過ぎればどこへやらでしょう、という腹心が露呈していた。その後で、とにかく明るい安村のように、安心してください、と連呼しておけば、右から左へ受け流してくれるんでしょうと、国民は小馬鹿にされていたわけである。で、本当に右から左へと受け流してしまった。

時折、安倍首相の言葉を分析してくれとの依頼をもらう。あらかじめ用意されている記事の方向に合わせるように、その軽薄さをいくらでも書き連ねることができたが、むしろ問うべきは、軽薄な言葉を連射すれば最終的に許容してくれるに違いないだろう、と舐められている国民とメディアに充満する空気ではないか、と思うようになった。即物的なスローガンを連投したところで嫌悪感を表明するのはいつも〝サヨク〟と〝マスゴミ〟にすぎないのだから、ならばそのまま連射を続けていこうと、決心を強固にしている。政治家の言葉を問い質しても、またいつもの人たちが、と言われてしまう。言われても構わない。

安倍首相は、答弁ではなく、主導権を握れるときには一方的に饒舌になる。アメリカ連邦議会の上下両院合同会議に招かれた時には「私たちの同盟を、『希望の同盟』と呼びましょう。一緒でなら、きっとできます」、安全保障法制の閣議決定の際には「自信を持って前に進もうではありませんか」と、とにかく肌触りの良い言葉を連呼する。売れ線のJ‐POPの歌詞のような言葉遣いだが、この程度の言葉が程よく通じている事実は残念ながら揺るがない。揺るがないから繰り返す。言葉の役割を軽く見積もりすぎているのではないか、と頭を抱えるが、彼らは彼らで、国民がいかにパブリックな言葉と接しているかを読み解き、レベル調整した上で投じられた言葉なのだから、安請け合いしてしまう私たちにも責任があるだろう。

安保法制が可決したわずか5日後に、文字通り「大型連休を挟んだら忘れてしまった国民たち」に向けて、安倍首相は「1億総活躍社会」「新・3本の矢」という夢いっぱいのフレーズとプランを投じた。その記者会見の場で、安倍首相は「この3年で、日本を覆っていた、あの、暗く、重い、沈滞した空気は、一掃することができました。日本は、ようやく、新しい朝を迎えることができました」と述べた。たった1週間前まで拮抗していた熱量を少しでも保持していれば椅子から転げ落ちるような発言だったが、ほとんどのメディアは、椅子から転げ落ちることもせず、提出された「新・3本の矢」について、その善し悪しを語り始めてしまった。善し悪し以前の問題ではないのか。この忘却体質こそ政権暴走のガソリンになっているとの確信を持った。

ニュースの鮮度ばかりを追いかけていると、視聴者や読者のニーズを嗅ぎ取りながらニュース素材を投じる側にその鮮度を管轄されてしまう。立ちこめた違和感をうやむやにされそうなら、満足のいくまでそれを検証して引っ張り続けるべきだろう。新聞記事にしろ、ニュース報道にしろ、安保法制の議論から引き下がるスピードがあまりにも早かった。何度か談話の形で参加したが、地方紙の神奈川新聞が根気強く続けている連載シリーズ「時代の正体」のように、怒りを持続させる働きかけが乏しい。メディアの役割とは、「ウォッチドッグ（番犬）」と言われるように、権力を監視すること、そして思考の多様性を担保することに違いないが、権力を監視するためには、提出された案件に異議を唱えるだけではなく、提出してくる案件のタイミングや引き際の強引さを精査しなければならない。あっ、もうそれについては結論出しましたんで次はこちらを、という流れに対して、いいやまだこれを、と差し戻さなければいけない。「議題を提示する→メディアの反対を受ける→ひとまず懸念を聞く→クリアする→忘れてもらう」という循環を繰り返していけば、あらゆることが提示者の思い通りになる。今日はこれについて話しましょう→了解です。どうかと思いますよ→わかってくださいよ→いやだから、ダメですよ→国民もイイって言ってますよ→いや、そうは言っても→決めましたんで→はい→次の話題なんですが。この流れが続く。安倍政権がその反復力を強めていることはメディアも熟知しているはずだが、目先の案件を突っつくことに終始してしまう。半年前のことではない、たった1週間前のことであっても忘却して、目先に終始するのだ。目先に終始するくせに固執はせずに、用意された次なる目先に素直に目移りしていく。

学生グループ・SEALDsの存在は、安保法制反対運動の軸足となったが、彼らは3・11以降の悪行を憤りで接続するように異議申し立てをおこなってきた。福島原発事故を受けた反原発デモを見学したことがきっかけとなって組成され、特定秘密保護法に反対するデモで本格的に始動し、そして安保法制の反対運動で一気に世間の注目を浴びることとなった。自分たちの身動きを不自由にさせる言動の在り処を凝視した結果、その出所が一緒であった。ならばその中枢の横暴とやらに声を上げるべきだろう、と立ち上がったのである。かつての学生運動のメモリーを接続して「俺たちのころも……」と血気盛んになる人たちもいたが、その思い出語りの提供者になることを本人たちは希望していないように見えた。気づけば色々なものを背負わされていた。

国家権力と仲良く混じり合うことに快感を覚えている一部のメディアは論外としても、メディアは押し並べて、原発事故を問題視し、特定秘密保護法のリスクを伝え、安保法制について厳しく指摘してきた。しかしながら、それらの問題は、その都度分断されてきた。その時々の流行りの問題に対して、インスタントに異議を申し立てているだけなのだ。インスタ映えならぬニュース映えで「いいね！」をゲットしようとしている。何度でも繰り返すが、戦後日本の転換点に違いない安保法制をいたずらなディスカッションのみで終えた政界から、1週間も経たぬうちに吐き出された「日本は、ようやく、新しい朝を迎えることができました」を引き受けてしまったのだ。

先方のお行儀の悪さを指摘する際に、少々こちらのお行儀が良すぎるのではないか。ムーディ勝山の「右からやってきた～　僕はそれを左へ受け流す～」にもちろん思想的背景などないが、ちょいと思想を混ぜ込んでみるならば、リベラルなメディアは極めて右の奥からやってきたものを左に受け流しすぎである。明らかなる憲法違反で安保法制改正のゴリ押しに成功し、アメリカから褒められながら日本を取り戻そうと意気込む曲芸には、あらゆる矛盾が残されたままである。沖縄基地問題が放置され、原発再稼働に本腰を入れ、失策とは絶対に認めないマイナンバーを強引に浸透させ、消費税増税を強行する。人々の嗜みに土足で立ち入り、揺さぶる政治判断を重ねながら、ついに本丸の憲法改正へと向かおうと意気揚々としている。

「議題を提示する→メディアの反対を受ける→クリアする→忘れてもらう」をいつまで反復するのか。しかし、その読みすら甘いかもしれない。政府はこれまでの行程すら面倒くさがり、「議題を提示する→メディアに反対させない→早々にクリアする」というショートカットヴァージョンに切り替えようとしている。共謀罪法案では、法務委員会での採択を飛ばし、参議院本会議の場で「中間報告」を持ち出し、本会議での強行採決に踏み切った。あの権力の横暴、国民の軽視を、まだ覚えているだろうか。

安倍晋三の親友・百田尚樹は2015年6月、自民党若手議員の勉強会で「沖縄の二つの新聞はつぶさないといけない」と放言した。ファクトの薄いリップサービスが少しでも国政に影響しちゃっている状態から問題視すべきだが、なにかと「政治的公平性」というワンフレーズで、メディアの動きを規制しようとする動きには注意が必要である。最たる事例が2014年11月14日の産経新聞、15日の読売新聞に掲載された任意団体「放送法遵守を求める視聴者の会」の広告である。渡部昇一、小川榮太郎、上念司、ケント・ギルバートなど右派論壇誌の常連寄稿者が呼びかけ人となり、TBSのニュース番組『NEWS23』の岸井成格キャスターが番組中に発した「メディアとしても（安保法案の）廃案に向けて声をずっと上げ続けるべきだ」を、放送法違反であると批難した。

放送法の第四条を論拠にしているという。その第四条の四項目とは、「公安及び善良な風俗を害しないこと」「政治的に公平であること」「報道は事実をまげないですること」「意見が対立している問題については、できるだけ多くの角度から論点を明らかにすること」であり、岸井氏の発言は政治的に公平ではなく、多くの角度からの論点を明らかにしていないので、「国民の知る権利を蹂躙するプロパガンダであって、報道番組とは見なし難いと言わざるを得ません」と主張している。

月例行事のように近隣諸国を殴打する内容の雑誌に重宝されている面々に「プロパガンダ」とは言われたくないのだが、第三条には「放送番組は、法律に定める権限に基づく場合でなければ、何人からも干渉され、又は規律されることがない」との規定がありますし……と説明を重ねても、聞く耳を持たないだろう。

以前、映画監督の是枝裕和にインタビューした際、是枝は放送法について、「権力が放送に対して不偏不党を保障している法律、これが根本原則です。安倍首相も高市大臣も、意図的なのか、ただのバカなのか分からないけれど、その原則すら知らない。用意周到にどうやって放送を自分たちの監視下に置くかを考えてきた菅官房長官は分かっているのでしょう。放送人の問題は、放送法は自分たちに向けられている監視カメラではなく、自分たちが権力を監視するための武器であるという自覚を持つべきなのに、放送人が『不偏不党って書いてあるから、権力の批判ができない』なんて平気で言ってしまうこと。最低限は勉強して、抗う体制を整えろと言いたい」(『週刊金曜日』2016年5月13日号)と厳しく語っていた。

しきりに連呼される「不偏不党」「中立公平」とは一体なんなのか。1993年、日本民間放送連盟の会合でテレビ朝日の報道局長が「自民党政権の存続を絶対に阻止し、なんでもよいから反自民の連立政権を成立させる手助けになるような報道をしようではないか」と言及した「椿事件」と今回の事例を比較する報道もあったが、番組内での意見をこれと同一視すべきではない。

意見を持つ人がその場で意見を発すれば、当然その意見はどこかしら偏る。そもそも、発言の場をその人に与えるという行為自体、偏向そのものである。例えば、ひとつの媒体が、武田砂鉄というライターに原稿を書かせてみようと場を与えるのも、数ある書き手の中から選んだ以上、偏向以外のなにものでもない。なぜアイツではなくコイツなのかには、選別の意思がある。偏向している。意見広告は「報道番組を代表すると見られる立場のメインキャスター、アンカー等は、放送法を遵守するよう配慮する意思」を持てと記すが、安保法制反対の声を上げ続けるべきとキャスターが言及したことが中立公正ではないとするならば、すべてに中立であろうとする個人とは、いかなる言葉を持てるのだろうか。それを教えて欲しい。中立公正であれと働きかけることもまた、そこに力が加わっている以上、偏向である。メディアとはそもそも、あらゆる意思が編み込まれた、偏向の集積である。

マスコミ報道＝偏向だらけ、という数式を強固にしたのもまた、安倍首相であった。参院選前の2014年11月に『NEWS23』に出演した際、放送された「街の声」に「アベノミクスは感じてない、大企業しか分からんのちゃう」など、安倍政権に異議を唱える声が多かったことを受けて、安倍首相は、VTR明けから話し始めようとするキャスター陣を遮って「これは街の声ですから（インタビューする人を）皆さん選んでいると思いますよ」と述べた。息つく間もなく、アベノミクス効果で儲かっている中小企業の方々で、なかなか声をあげて儲かっていますと言える人は少ない、そうしないと納入先にもっと安くしてくれと言われるに決まっているから、と矢継ぎ早に話し続けた。TBSには、儲かっている企業（中小企業が多い）を紹介する『がっちりマンデー!!』という番組もあるが、いかにも、まともな勤労経験を持たない首相の印象論が連なっていた。

その同時期に、自民党は、後に加計学園問題で注目されることとなる筆頭副幹事長の萩生田光一と報道局長の福井照の連名で、在京テレビキー局各社に向けて公正中立・公正の確保を求める文書を送りつけている。そこには、「過去においては、具体名は差し控えますが、あるテレビ局が政権交代実現を画策して偏向報道を行い、（略）大きな社会問題となった事例も現実にあったところです」と脅し、「街角インタビュー、資料映像等で一方的な意見に偏る、あるいは特定の政治的立場が強調されることのないよう、公平中立、公正を期していただきたい」と、『NEWS23』で心外な目にあった安倍首相の意向を受けたとしか思えない一文を加えてみせた。

安保法制の議論に際して安倍首相は、自分たちの味方をしてくれるであろうテレビ番組を「偏向」で選び抜いて出演したが、放送媒体を萎縮させる取り組みに本腰を入れるためには、世の中に充満する「マスゴミ」イメージとますます結託を強めていく。NHK『クローズアップ現代』のやらせ問題に対して行われた行政指導について、BPO（放送倫理・番組向上機構）は、放送法を根拠にした放送への政治介入は認められないとしたが、そのNHKのトップには残念なことに「政府が右と言うものをNHKが左と言うわけにはいかない」と発言した籾井勝人会長が鎮座していた。彼はもういないが、キーパーソンが何人か結託するだけで、萎縮を促す事ができるようになる。偏屈な視座で切れ味の鋭い笑いを量産してきた松本人志は、自身の番組『ワイドナショー』に安倍首相を呼び、直立不動で出迎えた。その後も、政権の意向に従順な意見を述べ、あらゆる異議申し立てを茶化すようになった。

第一次安倍政権の時、私たちは「右から来たものを左に受け流す」と歌う芸人を笑い飛ばしていた。それから10年後、心配な案件をいくつもかかえている私たちを察するかのように「安心してください」と仁王立ちで伝えてくる芸人を笑うようになった。怠惰を笑っていたのに、いつの間にか安堵を笑うようになった。この余裕のなさを、誰が策定してきたのかについて、忘却せずに考え続けなければならない。憤怒を引きずらなければならない。憤怒がないからこそ、この日本は空気や気配などという主体なきものにハンドルを握られてしまうのだ。

＊いくつもの問題を放置したまま、逃げるように辞めた安倍晋三首相だったが、手厳しい評価を向けると、「『お疲れ様』くらい言えないものなのか」（橋下徹）や「選挙に出て総理になってから言ってもらいたい」（金子恵美）といった声が出てきた。「ところで、桜を見る会の前夜祭の明細書はどうなったのでしょうか」という疑問視と、「選挙に出て総理になってから言ってもらいたい」という声が釣り合うはずもないのだが、なぜか、彼が辞めた後の2020年9月、JNN（TBS系）が実施した世論調査では、安倍内閣の支持率は「非常に支持できる」（10・7％）と「ある程度支持できる」（51・7％）の合計で62・5％と急上昇した。その前月の調査より、実に27％もアップ。安倍首相が何をしたわけでもない。体調を崩したので辞めただけだ。体調は心配。でも、それと、政治家としての評価は別。それなのに支持率が急増する。急いで後任に決まった菅義偉は、「令和おじさん」「パンケーキおじさ

ん」などと、芯は強いけど親しみやすい存在として持ち上げられ、これもまた高い支持率を叩き出した。就任して間も無く「自分に逆らう人は決して許さないおじさん」「手元にペーパーがないと記者からの質問に答えられないおじさん」だと発覚してしまうのだが、権力者が自分の都合で設けた区切りを素直に受け止め、「お疲れ様」などとフォローしながら、許す。私たちに欠けているのは、やはり「憤りを引きずる」だろう。

嘲笑のひとつひとつを許さない

沖縄の基地反対運動を捉えた映画、三上智恵監督『標的の島 風《かじ》かたか』を観る。機動隊員の顔面にカメラがグッと寄るシーンが何度かある。反対の声を上げ続ける人の目を凝視しているようにも見えるが、目線を外してはぐらかしているようにも見える。感情を殺した無表情が続くけれど、一瞬だけ、天を仰いだりもする。強国に命じられた国策に対して憤怒する人たちは、目の前にそびえ立つ請負人に対し、怒鳴りながらも、分かち合う余白を残し続けているように見える。機動隊員たちはおそらく、そういう譲歩をしないで欲しい、揺らいでしまうから、と思っている。わかり合える可能性なんていっそのこと消して欲しいはず。悪役に徹したいのではないか。それなのに、辺野古基地ゲート前抗議行動リーダーの山城博治は、時として「もう長いもんな、付き合いな、10年くらいになるかな」などと機動隊員に声をかけていく。何台もの大型バスに乗り、津々浦々から高江に集った機動隊員は、どこの所属かわからないように識別章を外して突っ立つ。この場を奪われることは心臓を抉り取られるに等しいと訴える人たちの、その心臓を、そして身体を、急いで匿名になった誰かが引き剝がしていく。

２０１６年10月、大阪府警から高江に派遣されていた機動隊員が、市民と接触した際に「触るな、土人が」と差別発言を吐いた。許されるべき発言ではないが、このことを受けて、大阪府・松井一郎知事はTwitterに「表現が不適切だとしても、大阪府警の警官が一生懸命命令に従い職務を遂行していたのが分かりました。出張ご苦労様。」と書き、労をねぎらうことを優先した。翌日の記者会見では「もともと混乱地で、無用な衝突を避けるために、警察官が全国から動員されている。じゃあ、混乱を引き起こしているのはどちらなんですか」「反対派の皆さんもね、その反対行動、あまりにも過激なんじゃないか」（琉球新報・２０１６年10月20日）と述べた。

チンピラ気質が保つ毎度の厚顔に呆れるけれど、彼や、その盟友たちは、自身の厚顔を自覚した上で、世の趨勢を感知しながら厚顔の使いどころを考え抜く人たちである。「もともと混乱地で」の「もともと」は、彼の中ではどこに設定されているのだろう。ゲート前に立つ島袋文子おばあは「死体が浮いている血の混じった水を飲んで生きたんだもん。それは絶対に許されることではないわ」と、今そこに立っている場の「もともと」の姿を振り返る。ならば、松井の「もともと」はどこにあるのか。支持者がリンクを貼る不確かなリンク先の情報で「もともと」を編み上げているのではないか。

彼は、混乱を引き起こしているのはどちらなんですか、と言った。もちろん、そちらである。三上の作品に映し出される「混乱地」の人々は、羽交い締めにされ、三線を強奪されながらも、眼前の請負人たちをひっぱたこうとはしない。この場を、この子らをどうやって守ろう、汚されてたまるか。単なる攻勢ではなく、守るために攻める。混乱を引き起こしているのはそちらなのだ。

百田尚樹はこのようなツイートをしている。

「沖縄高江のヘリパッド基地反対運動のデモ隊のメンバーの多くが、今、朴大統領辞任デモのために韓国に渡っていて、現在、高江のデモ隊はがらがらだという。朴大統領を引きずり降ろそうとしている運動の背後にいるのは、北朝鮮と中国。つまりは、そういうこと」

どこが間違っている、というレベルではない。すべてが間違っている。2017年

10月、百田が講演会の前に東村高江周辺のヘリパッド建設反対運動の現場に行った時のエピソードを紹介しつつ、反対運動について「日当が何万円と払われている」「中核は中国の工作員だ」と講演した。その根拠について問われた沖縄タイムズの取材に、「ない。そうとしか思えないと言っただけ」と述べている。「ポスト・トゥルース」なんて流行り言葉を持ち出すまでもない。トゥルースかどうかを問うレベルに至っていない。

この手の話者は、ある一定の熱狂を得られるとわかっているからこそ、この手の発言を自由気ままに撒き散らす。反対派のせいで救急車が通れないなど不十分な指摘を羅列し、「沖縄ヘイト」だと問題視されたTOKYO MX『ニュース女子』では、ジャーナリスト・井上和彦が高江での抗議運動について「テロリストみたい」と告げていた。次々と羽交い締めにされて運ばれていくテロリストを、私は知らない。この番組は、BPOから、裏付け取材の欠如、不適切な映像使用、侮蔑的な表現などの「重大な放送倫理違反」があったと指摘された。化粧品会社DHC系列の制作会社から丸投げされていた番組をMXがチェックせずに放送したという事実も明らかになった。

これらの話者（府知事・小説家・ジャーナリスト）のような、面白おかしく虚言を投じる人は、沖縄の苦境をいつまでも直視しようとはしない。直視してしまっては、お得意の虚言を投じられないからだ。映画の冒頭に映し出される県民大会で、稲嶺名護市長（当時）が、風かたか＝防波堤になれなかった、と言う。なぜ、その波は防波堤を越えてきてしまったのだろうか。無論、波が高いまま収まらないという理由が大きいけれど、このところ行き交っている言論を見ていれば、海からではなく、むしろ陸地のほうから面白半分で防波堤を削り始める面々が勃興してきたことが一因に違いない。

『ニュース女子』で司会を務めている東京新聞・長谷川幸洋論説副主幹は、東京新聞が謝罪記事を掲載したことについて、「私に対して処分をするということは、言論の自由の侵害になる」「他の意見を排除していたら、北朝鮮と同じになってしまう」などとラジオ番組で反論した。強い権限を持つ人たちを振り向かせる為に、強い言葉を振り絞って投じることは、時に大きな意義を持つ。しかし、その逆はあってはならない。こんなにも幼稚な意見を持つ委員が新聞社の論説委員として名を連ねる時代に置かれている。

思いを届ける言葉と、踏みつぶす言葉を弁別できないヘイトが垂れ流されている。防波堤は、陸地に潜む半笑いの話者によっても崩される。「出張ご苦労様」と言う首長、「韓国に渡っていて、現在、高江のデモ隊はがらがら」と言う作家。嘲笑が屈強になってきている。嘲笑うことで逃避し、長年の持論以外に論を探そうとしない人たちに、どうすれば伝わる手段があるのだろう。『標的の島』の冒頭、県民大会のステージに立った学生のスピーチ、「一人一人が大切にされる社会とは、どんな形をしているのでしょうか」が耳に残る。

「反対反対って言っているだけじゃ変わらない」と言ってくる人がいる。そういう人に対しては、「反対反対って言っているだけじゃ変わらない、と言っているだけじゃ、変わらない」とかぶせたくなる。今日もまた反対をしている。それをまだ変えられないのは、沖縄の外にいる私たちのせいでもある。その抗議の現場に行ったことすらないのに、あの光景に慣れてしまった自分がいる。「また言ってるよ」や「まだ言ってるよ」が、「出張ご苦労様」や「テロリストみたい」を育ててしまう。最前線で顔を歪ませる人がいる。無表情の機動隊がいる。どっちもう、やりたくなんてない。だからこそ、外から投げられる嘲笑のひとつひとつを許してはいけない。あの手の言説にいつまでも慣れてはいけない。

＊愛知県・大村秀章知事へのリコール運動における署名偽造が問題視されたが、リコール運動を仕切ったのが、高須クリニック社長・高須克弥と、名古屋市市長・河村たかし。そのリコール運動を呼びかけるハガキには「日本を普通に愛する皆さん」と書かれていた。普通に愛する、とは一体どういう意味だろう。その愛し方は、事細かに書かれていない。松井一郎

大阪市長が沖縄を「もともと混乱地」と言ったり、市民を「土人」と名指ししたりする態度は、自分たちが「普通」で、あっちはそうではない、という区分によって敵と味方を作り出した。そういった物言いには常に嘲笑が付随する。あざ笑い、議論を拒んだ結果として何が起きたか。愛知県のリコール運動に関しては、責任のなすりつけ合いという醜態が明らかとなった。

「ハーフ」ではなく「ダブル」

沖縄にある、アメラジアンスクールを追ったドキュメンタリー番組を観た。英字で「Amerasian」、アメリカ人とアジア人の両親の元に生まれた子どもたちが通う民間の学校だ。親の離縁などの理由によって、基地を出て、この学校に通うことになった子どもたち。煩悶しながらも、その境遇と向き合っている。

基地問題に揺れる沖縄の現状を、基地から出てきた子どもたちに対してどのように教えているか。アメラジアンスクールでは、日本の教科書とアメリカの教科書を比べながら、双方の捉え方を教えている。アメラジアンスクールのオリジナルで作られた教科書には「米軍基地を広げるために土地がうばわれたり、軍用機の事故に住民がまきこまれたりしました」と日本からの視点が書かれる一方で、アメリカからの視点、「冷戦の中でソ連を封じ込めるためにいかに基地が必要だったか」についても伝えていく。

卒業を迎える女の子は、入学当初、「ハーフ」であることに戸惑っていたが、この学校で「ダブル」の考えを学んだという。彼女が卒業式で、在校生に向けてスピーチをする。

「私たちからのアドバイスは、自分の失敗から学ぶこと。お互い助け合って、自分自身になること」

「ハーフ」ではなく「ダブル」の視点――そしてそこから自分自身を獲得していく。この視点、思考をどれだけの日本人が持てているだろう。この領土はオレたちのものだ、とか、もう散々謝っただろう、とか、場所や状態をめぐって意見を投げ、「ハーフ」の取り分をめぐる議論を繰り返す。もっと寄越せよ、ふざけんなよ。必ずや、あっちが得をしている、こっちが損をしている、といがみ合いが増長する結果となる。いがみ合いを見せて、現状の支持を保とうとする。

「国益」と「個人の利益」を無闇に比較すべきではないけれど、いたずらに「個人の利益」を排して「国益」を優先するべきでもない。けしからんと名指しをする国と、もっと謝れと指を差してくる国とがぶつかれば、やっぱり議論は「ハーフ」の取り分になる。その双方にアメラジアンスクールの彼女たちが持っていた「ダブル」の思考はない。そこに到達しようとする努力は皆無だ。

たとえば「中国のことを好きですか？」と問えば「嫌い」と答える人も、知り合いの中国人のことは嫌いではない。そっちを特例にしてはいけない。それは、実例である。そっちだけが、実例である。とりわけ近年の外交は、そういう実例を真っ先に手放して特例化する。何となくの嫌悪感を普遍化させる。個々にお裾分けする。その上で議論のテーブルを用意すれば、椅子がこっちとあっちに置かれたまま、間にテーブルが置かれ、取り分について机上で争うことになる。

国家の在り方を提示するとき、どのように過去を清算するか、どのように未来志向で問うか、そのいずれかになりすぎている。過去も未来も、今、その場に存在しないのだから、文字通り机上の議論となり、「益」の話になる。取り分の話になる。行き着く先は「ハーフ」の議論になり、やっぱり揉め事が起きる。

猛スピードで流転している国際情勢を捕まえるために、過去や未来ではなく、今起きていることにその都度対応していく視座を身につけなければいけない。その時に必要なのは、国益という茫漠とした主語ではなく、集団的に自衛することよりも、個別的に対話することを、やっぱり諦めてはいけない。アメラジアンスクールの女の子のスピーチを借りるならば、「お互い助け合って、自分自身になる」べきではないのか。

こういった対話路線を示すと、「お花畑だな」と揶揄される。しかし、この戦後70年間、日本のあらゆるお花畑がたったのひとつも焦土にならなかったのは、かつての戦争の反省のもとに、対話してみる着想を少なからず保持してきたからではないのか。ならばお花畑を守るべきだ。お花畑は、笑われるべき状態ではない。

アメラジアンスクールで、「ハーフではなくダブルなんだ」と破顔した女の子は、置かれた境遇を集団的ではなく個別的な対応で乗り越えていた。国家と個人は違う。ならば、まず個人で考えるべきだ。その集積が、やがて国家になればいい。国益を薄めながら、個人を探し当てるべきではない。沖縄が置かれている諸問題はそのことを教えてくれる。

「これまでの日本」や「この先の日本」を考えすぎるあまり、「今の自分」がどう考えるべきかを後回しにしてはいけない。過去をどうするか、未来をどうするか、ではなく、今どう考えるか。過去を見つめるために、未来を見据えるために、もっとも必要なことは、「ダブル」の視線で今の自分をこしらえ続けていくことなのだと思う。

＊この原稿については、今、読み返すと、なんだか、優等生ぶっているような気がして心地悪い。気がする、ではない。優等生ぶっているのがわかる。アメラジアンスクールに通って

いた女性が「ダブル」の考えを持つことで自分自身を獲得したとの声にすがっている。「国家と個人は違う。ならば、まず個人で考えるべきだ」とか言っている割に、全般的に、人の見解に頷いているだけである。うんうん、この人の言ってること正しいよ、を繰り返している時の多くは、自分で意見を発するのを避けている時だ。

「2020年」でうやむやにする人たち

2017年5月3日、読売新聞の単独インタビューに答え、「憲法改正 20年施行目標」を打ち上げた安倍首相。政府の意向に極めて従順な読売新聞は、インタビュー掲載とは別に、池上彰になったような心づもりで「首相インタビューのポイント」と題し、箇条書きで4項目ほどにまとめ直し、その最初の項目に「憲法改正を実現し、東京五輪・パラリンピックが開かれる2020年の施行を目指す」と記した。一体なぜ、憲法改正が東京五輪開催と絡んでくるのだろうか。東京五輪って、9条に自衛隊が明記されていないと開催できないのだろうか。安倍首相が五輪までに憲法を改正したいとする理由はどこにあるのか。該当部分を、読売新聞のインタビューから抜粋してみる。引っかかる部分にはあらかじめ傍点をつけておこう。

「私はかねがね、半世紀ぶりに日本で五輪が開催される2020年を、未来を見据えながら日本が新しく生まれ変わるきっかけにすべきだと申し上げてきた。かつて日本は1964年の東京五輪を目指して、新幹線、首都高速、ゴミのない美しい街並みなど、大きく生まれ変わった。私は当時10歳だったが、世界の強豪と肩を並べて活躍する日本選手の姿を見て、『やればできる』という大きな自信を持った。（五輪は）先進国へと急成長していく原動力となった。2020年も今、日本人にとって共通の目標の年だ」

個人的に2020年はちっとも目標の年ではないが、これが、憲法改正を2020年におこないたいとし、「五輪」という言葉を憲法改正に絡める論拠である。ねぇ、いつからそんなことになってたんでしたっけ。この日の読売新聞の社説では「2020年」という文言を何度か使い、そのタイトルには「自公維で3年後の改正目指せ『本丸』に着手するなら戦略的に」と、どこまでも従順且つアドバイスまで差し上げている。口が少々悪くはなりますが、っていうか、お前ら誰なんだよ、と乱暴に思う。

かつての読売新聞社会部記者で、当時の社主・正力松太郎の意向に準じた記事作りを強いられることに嫌気がさして、読売を辞したノンフィクション作家・本田靖春は、遺作『我、拗ね者として生涯を閉ず』（講談社文庫）のなかで、「記者はおのれを権力と対置させなければならない。これは鉄則である。権力の側に身をすり寄せていけば、そうでなくとも弱い立場の人びとは、なおのこと隅っこに追いやられるのである」と書いている。まさに今、政府とメディアは、対置どころか結託し、「2020年」というスポーツの祭典を乱用して、あらゆる政治的案件を思うがままに動かそうとしている。

そのインタビューで明らかにされた憲法改正の目玉は、9条について、1項・2項をそのまま残した上で自衛隊の記述を書き加えるという案。そして、高校教育の無償化だ。安倍首相は民進党の一部との合意を目指すこともあるのかと問われて、「そういう作業は、私は全くオープンだ。案を示し戴ける方なら、どなたでも賛成してもらいたい」とし、加えて、2012年に作成された自民党憲法改正草案は党の公式文書ではあるものの、「その後の議論の深化も踏まえ、草案をそのまま審査会に提案することは考えていない」とした。

「9条加憲」論についてどう思うか、との依頼がくる。しかし、ひたすら続く国会での実にいい加減な答弁、そして未処理のまま、忘れてもらおうと急ぐ姿勢を前にすると、憲法改正論議に乗っかる事自体に危うさを覚える。どう思うか、ではなく、なんでそんなこと言い出したのか、の段階に戻すべきに違いない。読売のインタビューで安倍首相は、これまでの自民党草案はひとまずおいておき、野党も交えた積極的な議論をしましょう、と提言したように思える。だが思い出してみれば、この発言のわずか半年前、年始の施政方針演説で安倍首相は「ただ批判に明け暮れたり、言論の府である国会の中でプラカードを掲げても、何も生まれません。意見の違いはあっても、真摯かつ建設的な議論をたたかわせ、結果を出していこうではありませんか」と語っている。

「真摯かつ建設的な議論をたたかわせ、結果を出していこう」は露ほども果たされていないではないか。真摯かつ建設的な議論をたたかわせる気などなかった。憲法改正について「全くオープン」とされても、なかなか信じることはできない。「オープン」の枠組を狭めることで「これがオープン」と言い始めるに違いない。

繰り返し何度でも振り返りたい。加計学園獣医学部新設問題で、朝日新聞がスクープした文書について、菅官房長官は2017年5月17日の時点で「怪文書みたいな文書」と牽制していた。その2日後に発表された文科省の調査結果「文書の存在は確認できなかった」と抱き合わせ、あたかも朝日新聞が捏造したかのようなムードすら作り出したが、甘すぎる調査に対して世論の反発が集中すると、文科省が再調査を実施、たちまち該当する文書が出てきた。

文書を根こそぎ否定していた菅官房長官が何を言うのかと身構えていると、「『怪文書』という言葉が独り歩きしたのは極めて残念だ」である。卒倒する。この方々は日本語の限界に挑んでいるのだろうか。政権のスポークスマンが、自身の言葉をどこまでも軽視している。「『怪文書』という言葉が独り歩きした」という菅官房長官の言い方にひとまず乗っかってみるにしても、その言葉を独りで歩かせたのが誰かとなれば、どう考えても、菅官房長官である。ラジコンのハンドルを握りながら、ラジコンが走っていっただけ、と弁明されるのは滑稽でしかない。

「共謀罪」を、政府の意向に準じて「テロ等準備罪」との呼称で素直に伝えたメディアは、共謀罪が強行採決されると「共謀罪の構成要件を改めたテロ等準備罪を新設する改正組織犯罪処罰法が賛成多数で可決・成立した」（可決・成立直後のNHK『おはよう日本』）と報じたが、これまで3度も廃案になってきた共謀罪から今回の共謀罪がどのように「構成要件を改めた」かは、日本国民誰一人としてわからないまま。なにせ大臣すらわかっていない。金田法務大臣は「私の頭脳が対応できなくて」とまで言ってしまったのである。会社の社長が「私の頭脳では対応できないけれど、やってみよう！」と提案してきた事案に対し、どれだけ従順な部下であっても、ひとまず首をひねるはず。でも、今件は首をひねらず「賛成多数で可決」してしまうのだった。「テロ等準備罪」と謳ってきたのに、その条文に「テロ」が入っていないという珍奇な事態が発覚すると、後付けで条文に「テロ」を入れ込むことにしたのは、わずか3カ月前のことだ。「組織的犯罪集団」の前に「テロリズム集団その他の」を加え、いかにもテロ対策っぽい雰囲気を強めようとした。このところの安倍首相が得意とする言葉を借りれば、まさしく「印象操作」が行われたのである。一体誰が捜査対象になるのか、対応できない頭脳で、曖昧なままの審議が進んでいった。

本書の別の項でも述べたが、共謀罪適用の対象範囲について、安倍首相は1月26日の衆議院予算委員会の時点で「そもそも罪を犯すことを目的としている集団でなければならない」と答えていた。その範囲の提示に準じるならば、そもそも犯罪集団ではなく宗教団体だったオウム真理教などは対象外になる。この点を野党から問われると、首相は「『そもそも』の意味を辞書で念のために調べたら『基本的に』という意味もある」と逃げてみせた。

当然、その答弁のファクトチェックをする新聞社・ネットメディアなどが、いくつもの辞書を調べたものの、「基本的に」という意味は一度たりとも出てくることはなかった。つまり、安倍首相はウソをついた。安手のウソだが、調べてもいない辞書を、調べた、こんな意味があったとウソをついた。共謀罪適用の対象範囲をうやむやにするという見過ごせないウソである。とにかく彼らは何が何でもウソを認めない。それどころか、政府としてこんな答弁書を出してきたのである。

「大辞林によると『そもそも』に『どだい』という意味があり、『どだい』に『基本』という意味がある」

やはり、彼らは日本語の限界に挑戦しているとしか思えない。首相自ら、念のため辞書を調べた、と豪語していたのに、次なる答弁書で「首相が自ら辞書を引いて意味を調べたものではない」と決定してみせるのだった。「辞書で念のために調べた」という首相の答弁が、「首相が自ら辞書を引いて意味を調べたものではない」という答弁書でひっくり返る。自分のウソを認めるくらいならば、辞書の意味を改変してしまう。これまで共謀罪についての原稿を書く度に、「賛成」「反対」ではなく「論外」という選択肢が欲しい、との旨を書いてきたのだが、その所以は、こうして言葉の意味まで平然と改竄して国民を騙くらかすからである。

共謀罪について、議論の途中から「これがないと2020年の東京五輪が開けない」という見解を投げ始めたが、この後出しジャンケンに気づかれなかったことを成功体験とした政府は、いつのころからか、騙す手段として「2020年」を連呼するようになった。現行法で組織的テロが放置されているかといえば無論そんなことはないし、改正組織犯罪処罰法とあるように、この共謀罪が組織的犯罪のための法整備である以上、単独犯による、いわゆるローンウルフ型のテロには対応すらできない。でも、「2020年」「テロ」という称号を適当に掛け合わせれば、国民の大半が納得するのではないかと提示し続けたわけだ。

「共謀罪がないと五輪が開けない」という無茶なウソは、共謀罪に賛成する人の主たる理由としてそびえるほどに浸透していった。「2020年」の連呼による印象操作は、これからますますあらゆる場所に広がっていく。「2020年」と聞いた途端に、疑う思考が瞬間的に止まってしまう。そうか、そうなのか、そういうもんなのか、と理解してしまう。その主たる使途が「憲法改正」になることは間違いない。首相は最近、「印象操作」という言葉を連呼し、森友学園や加計学園との関係性を否定してきたが、最たる印象操作は、そちらが連呼してくる「2020年」である。国会では「怪文書」「テロ等」「2020年」など、いくつかの印象操作ワードによって、いくつもの事案がうやむやにされた。言葉の改竄と操作で世論を管轄しようとする人達が、今度は「2020年」を携えて憲法改正を急ごうとしている。これ以上騙されてはいけない。読売のインタビューを踏まえてどう思う、ではなく、国会で放置された事案の多さ、これが「真摯かつ建設的な議論をたたかわせ、結果を出していこう」と宣言した後の結果であることを忘れるべきではないはずだ。

＊結果的に、東京五輪は2020年には開かれなかったわけだが、「共謀罪がないと五輪が開けない」という頓珍漢な言い分は、今思えば、あらゆる不備が発生し続ける壮大な失敗物語の幕開けを宣言するものだったのかもしれない。2013年、オリンピックを招致した際に中枢にいた、安倍晋三、森喜朗、猪瀬直樹、竹田恒和の4人は、2021年春の段階で、五輪を差配する立場からは誰一人としていなくなった。健やかに辞めていった人はいない。

逃げるようにいなくなり、しばらくすると、そのうちの何人かが、いや、それにしても、俺の貢献ったら、なかなかすごいものだったでしょうと匂わせてきた。大きな催事を具材にして、共謀罪や憲法を都合よく整えようとした浅はかさを覚えておきたい。

国民を置き去りにする政治の「正しい言葉」

取材やトークイベントなどで「安倍政権についてどう思うか」を聞かれると、もれなく「命名するなら『THE虎舞竜』内閣ですかね」と答える。相手はひとまず苦笑いして黙り込むのだが、割と的確な説明だと自負している。THE虎舞竜とは、1993年に「ロード」を大ヒットさせた、高橋ジョージ率いるロックバンドのこと。「ロード」の大ヒットに気を良くしたのか、それとも最初からそのつもりだったのか、「ロード」の続編を次々と発表し、「ロード　第13章」にまで到達した（2017年には唐突に「第14章」を発表）。当人やファンにとっては必然性のある続編だったのかもしれないが、どうしたって「ヒット曲を薄めて引き延ばしているのでは」との醒めた思いが強まってしまうし、その思いはおそらく正しい。

アベノミクスはずっと「道半ば」と言われてきた。これがなかなか便利な言葉で、アベノミクスを先導する（あるいは扇動する）側はいつまでも「道半ば」と言い続けることができる。かつて「この道しかない」というポスターをあちこちのロードに貼り付けた政党だが、この「ロード」もまた、何章で終わるのかはわからない。彼らが「道半ば」と言い続ける限り、ロードはどこまでも続くのである。アベノミクスの「果実」、との形容も好んで使うが、果実を目の前に差し出されたと実感している人は極めて少ない。トリクルダウンで果実の液が滴り落ちるのを待て、という。流しそうめんのバケツのそばで、誰も掬わなかった素麺を食え、最初の方の奴がお腹いっぱいになってきたら、おまえもたくさん食べられるようになるよ、ということなのか。ありとあらゆる道というのは、当然、後退するより進んでいくほうが積極的ではあるのだし、果実は実らないよりも実ったほうが有難いのだが、それが、今置かれている不作の状況や台風情報を無理やりよく見せるための話法として乱用されているならば、その宣言を甘受してはいけない。繰り返し持ち出すこととなり当人には申し訳ないが、THE虎舞竜が「ロード」の続編を作る度に、ファンは「今度こそ完結するのかも」とお金を投じていたはず。これで最後だろうからと、金を払う。でも違う。道半ばだ。また買う。このように「もうすぐ終点につくはず」と思わせ続ける〝ロード商法〟は、まったく健康的とは言いがたい。

しかしながら、「道半ば」「果実」といった曖昧な表現を断続的に連呼することで、安倍政権の磐石体制は続いてきた。自作自演の解散劇で勝利して、国民の信を得られたと豪語する。安倍政権を支持する理由のトップは「他の内閣より良さそうだから」の独走状態が続いているが、ひとまずその「道」の存在を認める消極的支持は、「この道しかない」と抜群の親和性を持っている。消極的な支持を積極的に変換するために、道を1本に絞っておくのは有効である。スタンスの違いはあっても同じところにいるよね、と知らせれば、気乗りせずとも、ズラズラついてくる。

トランプの就任会見と同じタイミングだったこともあり、メディアがさほど注視しなかったのが安倍首相の施政方針演説（2017年1月20日）だが、ここに記されていた文言の稚拙さには、なかなかうなだれる。国民に理解してもらうために敢えてレベルを下げたのかと邪推してしまうが、その後の国会答弁で、他人に書いてもらった原稿にある「訂正云々」を「訂正でんでん」と読んだ様子を見かけてしまえば、この演説に詰め込まれた稚拙な方便は本気と書いてマジなのだろう。

演説は、私たちは今、何をすべきか、から始まる。「見渡す限りの焼け野原」から立ち上がった歴史を踏まえた上で、このように述べる。

「戦後70年余り。今を生きる私たちもまた、立ち上がらなければならない。『戦後』

の、その先の時代を拓くため、新しいスタートを切る時です」

　今回の演説で、「拓」という言葉を実に12回も使っている。その一方で、「壁」という言葉も13回使っている。演説内容を要約するならば、目の前にある壁を切り拓く一年にしたい、との方針で間違いはない。

　果実は実ってきているものの、依然としてまだ道半ばで、壁はいくらでもあるのだけれど、今年はそれらを開拓していく、との宣言。「はい、了解です。こっちもがんばります」と頷けるはずもない。そこに続く文言は「私たちの子や孫、その先の未来、次なる70年を見据えながら、皆さん、もう一度スタートラインに立って、共に、新しい国創りを進めていこうではありませんか」である。困惑する。これまで何年も「道半ば」と聞かされてきたが、今度はスタートラインに立つ、と言う。「ロード　第1章」に戻ろうとしている。ちょうど1年前に、この道を通った夜……。しかしながら、ここでもスケール感のある「私たちの子や孫、その先の未来」を維持することで、根本的な矛盾に気付きにくい作りが保たれている。

　東京新聞が、この施政方針演説を受けて、首相が用いる「デフレ脱却」が年々「トーンダウン」してきたと指摘していた。意地の悪い記事だが、この意地の悪さはもはや貴重である。記事（17年1月24日）によれば、施政方針演説におけるデフレの扱いが変化しており、12年には「デフレ脱却は政権に課された使命」としていたが、14年には「デフレ脱却を目指し、経済最優先で政権運営にあたっていく決意」となり、15年には「デフレ脱却を確かなものにするため」に消費税増税を延期し、「景気回復の温かい風を全国津々浦々にまで届けていく」とした。しかしここでは「少子高齢化、デフレからの脱却と新しい成長、厳しさを増す安全保障環境。困難な課題に真正面から立ち向かい、未来を生きる世代のため、新しい国創りに挑戦する」と、立ち向かうべき課題の一つとして羅列されるにとどまった。

「ただ批判に明け暮れたり、言論の府である国会の中でプラカードを掲げても、何も生まれません。意見の違いはあっても、真摯かつ建設的な議論をたたかわせ、結果を出していこうではありませんか」

「威勢のよい言葉だけを並べても、現実は一ミリも変わりません。必要なことは、実行です。結果を出すことであります」

　単なる批判や威勢のよい言葉で操縦してきたのは、例えばこのように言う前の臨時国会で「私が述べたことをまったくご理解いただいていないようであれば、こんな議論を何時間やっても同じ」と議論を断ち切ってしまった話者自身に思える。「真摯かつ建設的な議論」をたたかわせるには、その議題に向かって、「明け暮れる」と評されるほどの手厳しい批判をぶつけてみることが必須ではないのか。「結果を出していこう」という先延ばしのスローガンは、ここでもまた「THE虎舞竜」的。働き方改革を訴える場面では、「抽象的なスローガンを叫ぶだけでは、世の中は変わりません」「言葉だけのパフォーマンスではなく、しっかりと結果を生み出す働き方改革を、皆さん、共に、進めていこうではありませんか」とあり、自身で鏡を見てから言えよ、だなんていう、ありきたりすぎて使いたくはない皮肉を投じたくもなる。

「一億総活躍」と最初に聞かされた時の、一億みんなで失笑した時の感覚を取り戻したい。体を慣らしてはいけないスローガンである。数ある日本論・日本人論の中でもとりわけ優れた1冊に李御寧《イーオリヨン》『「縮み」志向の日本人』（講談社学術文庫）があるが、その中にこんな一節があったことを思い出す。

「個々人の多様性をその根本の哲学に持ってこそ、はじめて民主主義は成り立つものですが、日本人は個人一人一人がお膳の上にあがってはいられません。集団の枠に詰められて（これが日本独特の団結力というものですが）、はじめてその力を持つ。ですから、日本の知識人たちから韓国は独裁主義だと批判されていますが、韓国人一人一人の思考方式は日本人とは違っていて、『一億総評論家』とか『一億総白痴』とかの表現は出てきようがありません。一億をまるで一人のように縮め、詰めて、弁当箱の枠に入れる全体主義的考え方は、不思議にも東洋でただひとつ自由民主主義の模範といわれている日本のものなのです」

先方から提供される弁当箱、その枠組みに体を合わせてはいけない。押し込んではいけない。これなら入ってもいいよ、ではなく、用意された枠に入ってはいけない。施政方針演説のエンディングから引っ張ってみるが、私はこれを読んで、どうしても失笑するのを抑えることができない。失笑を抑える必要なんてあるのだろうか。これは笑える。ならば笑ってしまおう。

「未来を拓く。これは、国民の負託を受け、この議場にいる、全ての国会議員の責任であります。

世界の真ん中で輝く日本を、一億総活躍の日本を、そして子どもたちの誰もが夢に向かって頑張ることができる、そういう日本の未来を、共に、ここから、切り拓いていこうではありませんか。

御清聴ありがとうございました。」

「世界の真ん中で輝く日本」「子どもたちの誰もが夢に向かって頑張ることができる、そういう日本の未来」と、いつまでもスケールがでかい。例えば、トランプ就任以降の外交を見ていれば、世界の真ん中で輝こうというよりも、引き続き、世界の真ん中の人の機嫌を取ろうとしている。北朝鮮に対してあらゆる選択肢がテーブルにあるとするトランプに対して賛同し、核兵器禁止条約に参加しなかった日本。これでは、世界の真ん中で輝こうとしても輝けやしない。輝こうと思ったのに。主語も述語も形容詞も、盛れるだけ盛ったほうが届くと考えているだけなのかもしれないが、弁当箱に詰め込まれて窒息したくない。

祖父の悲願を孫が受け継ぐ形で突き進めている憲法改正の議論について、首相や政府首脳は繰り返し「国民的な議論」という言葉を使ってきた。あるいは、有識者会議設置の時点でおおよそ方向性が定まっていた「天皇の公務の負担軽減」についての議論でも「国民的な理解」という言葉を使ってきた。国民はその言葉を警戒せずに許してしまう。様々な諸問題が大きな「壁」にぶつかると、「国民的な議論・理解」が必要だという見解を出す。それらが早々と結論に向かおうとする時、彼らは、「十分に議論の時間を設けたし、議論も盛んにおこなわれたのだから、もう大丈夫でしょう」と議論をひっくり返して、放り出す。

こちらから、さすがに大きな問題だから「国民的な議論」をやり尽くすべきだ、と物申しても届かない。「国民の皆さん、もう国民的な議論は尽くされたのですよ」と断ち切られてしまう。だからこそ弁当箱の設置から許してはならないのだが、強行採決の光景をすっかり見慣れてしまった。彼らは「国民」という言葉を、「国民一人一人」という使い方ではなく、「なんとなく全体がそう思っている感じ」くらいに設定してくる。「切り拓く」場面で都合よく使われる「国民」とはそういうものなのだ。

以前も触れたが、先の施政方針演説の終盤で、安倍首相は、土佐で始まったハマグリの養殖についてのエピソードを持ち出した。そのエピソードによると、時は江戸時代、土佐藩の重臣・野中兼山が江戸からハマグリを持ち帰ると、兼山は、港で待ち構えていた地元の人々に食べさせるのではなく、海に投げ入れ、「このハマグリは、末代までの土産である。子たち、孫たちにも、味わってもらいたい」と言ったという。「兼山のハマグリは、土佐の海に定着しました。そして350年の時を経た今も、高知の人々に大きな恵みをもたらしている。まさに『未来を拓く』行動でありました」と首相は語った。

「国民的な議論・理解」が取りこぼすものとは何か。その場で生活する市井の声、である。実際には、今、ハマグリは「高知の人々に大きな恵みをもたらして」いないのだという。高知県の漁業関係者や居酒屋店主は、「ハマグリはそんなに捕れない」「70歳ぐらいの人は『昔は捕れた』と言うが…」「店で販売しているのは千葉県産」と困惑するものばかり（東京新聞・1月31日）。一億総○○に声を荒げないと、こういう事案が見放される。エクセルに記されている数値を見ているだけでは商売は出来ないが、それと同じで、指標を見ているだけでは政治は出来ない、と言いたいところだが、指標にすがる政治は長らく鎮座している。

国民として、よりよい社会を求める以上、昨今乱発される「国民的」という投てきに甘んじるべきではないし、時には、批判に「明け暮れる」必要がまだまだある。何でもないような事を幸せだと思うために、引き延ばされる「ロード」を、もっと主体的に疑う必要があるのだ。

＊この「THE虎舞竜内閣」という言い方を広めようと、いくつかの原稿やラジオ出演で使ってみたものの、反応は極めて薄かった。だがどうだろう、「この道しかない」という「ロード」政治は、安倍政権に続く菅政権でも保たれている。一度歩き始めた道なんだから、もうそのまま歩くしかないという姿勢は、まさしく新型コロナ対応に通底していた。なぜこれをやるのですか。なぜかって、やると決めていたからです。この日に解除して大丈夫なのでしょうか。はい、だって、この日に解除すると決めていましたから。限られた言葉と、限られた態度で、限られた道を歩いていると、それを立派な政治哲学だと勘違いする人に後押しされ、しっかりとした対案であっても、見物客からのヤジに過ぎないと理解されてしまう。THE虎舞竜は2021年、「ロード〜第15章×2」（「高橋ジョージ&THE虎舞竜」名義）を発表している。この道しかないのだ。

正しい家族になりましょう

今の政治が基本形態として設定する「正しい家族」とは、親がいて、子どもがいて、おじいちゃんおばあちゃんが助けてくれる家族である。こういう家族なら、もしもおじいちゃんが倒れても、息子や孫たちが助けてくれる。それは正しい。でも政治は正しい設定だけを前提にしてはいけない。正しさを強要してもいけない。ブログ「保育園落ちた日本死ね！！！」をきっかけに待機児童問題が注目を集めたように、とにもかくにも保育士の給与増を目指すべきだろう。しかし、たとえば堀江貴文という人が『なんで保育士の給料は低いと思う？』低賃金で負の循環』という記事をリンクに貼り付けて「誰でもできる仕事だからです」との感想を添えてツイートする。自分にしかできない仕事なんてない。それは貴君でも一緒である。誰にでもできる仕事などなく、あたかも誰にでもできる仕事であるかのように見えているのは、個々人の仕事への探究心があるからだ。その探究心が多かろうと少なかろうとも、もう本当にわずかであっても、外から「誰にでもできる」と策定できる仕事などない。行き届いていない視線で断定してみせる感じは、先のハマグリの事例にとても似ている。

厚生労働省調査の全産業の平均給与は約30万円。保育士は、その平均よりも9万円低い21万円。これでは保育士が不足するのは当然である。ブログが話題になった年の年末、厚労省は、小学校の教員免許を持つ人を保育士としても活用できるようにする緊急対策をまとめているが、ピントがずれている。なれる資格を持つ人を増やしたところで、給与水準が改善しなければ保育士は増えない。保育士の資格を持ちながらも主に給与面を理由にその職を選べずにいる潜在保育士（保育士資格を持ち登録されているが、社会福祉施設等で勤務していない者）は約76万人いる（2015年・厚生労働省調査）。この潜在保育士にどうすれば現場に戻ってもらえるかを考えなければならない。堀江の「誰にでもできる」との発言は、そういう動きを先んじて揉み消す愚鈍な意見である。

「日本死ね」ブログが話題になった頃、「これ、本当に女性が書いた文章なんですかね」と発言したのが平沢勝栄衆議院議員、「便所の落書き」と形容したのが杉並区・田中裕太郎区議。頭を抱える存在がコンスタントに登場している。怒り心頭に発するが、本人たちは自分の発言をさほど問題だとは思っていないご様子。待機児童問題がどことなくエトセトラの存在に留まってきたのは、こういう態度の方々が集結してきたからなのだろう。とはいえ、選挙に響きそうとなれば途端に重い腰を上げるわけで、あのブログが果たした役割はとても大きかった。

皆、もうすっかり話題にしなくなったけれど、2015年9月に発表された「新・3本の矢」のひとつには、「夢をつむぐ子育て支援」があった。安倍首相は新たな矢を提言する会見で、現在1・4程度の合計特殊出生率を、1・8まで回復させるとし、「家族を持つことの素晴らしさが、『実感』として広がっていけば、子どもを望む人たちがもっと増えることで、人口が安定する『出生率2・08』も十分視野に入ってくる。少子化の流れに『終止符』を打つことができる、と考えています」（2015年9月24日）と熱弁した。しかし、働く女性の多くが「第二子の壁」を感じているなかで、1・8という出生率を実現させるためには、「家族を持つことの素晴らしさを実感する」云々の前に、保育環境の充実を目指すべきに違いない。システムよりもメンタルを整えようとする悪癖が、家族や子育てに集中している。

保育環境の充実を一義に考えているとは思えない。第3次安倍内閣で国土交通大臣に任命された公明党・石井啓一は、その就任会見の質疑応答で、「大臣就任に当たって、安倍総理から直接どのような点に力を入れてほしいという指示がありましたでしょうか」と問われ、「出生率を上げていくということに関して、3世代の近居・同居を促進する住宅政策を検討し、実施するようにという御指示もございました」（国土交通省HP）と答えている。

軽減税率のための財源確保1兆円を優先し、子育て支援の3000億円が先送りされたタイミングで、この3世代同居への補助については、2016年度予算案に盛り込まれた。3世代同居への補助制度、具体的には、「(1) 台所 (2) 浴室 (3) トイレ (4) 玄関のうち2種類の設備を2カ所以上設置した新築木造住宅、同じ条件を満たすよう (1) ～ (4) の設備を増設した中古住宅を対象に、1件あたり最大150万円を補助する」(東京新聞・16年2月28日) というもの。現行制度を拡充させる形で150億円が予算に盛り込まれているが、なかなか解せない。

「少子化の流れに『終止符』を打つ」ために着手されるのが3世代同居への補助でいいのか。政府の見解は、親たちと一緒に住めば、働く女性が会社を辞めることなく働き続けることができるし、子どもも産みやすくなるでしょう、というもの。これに対して野党は、2世帯同居ができるような家を新築したり増設できるのは経済的に恵まれた層で、その恵まれた層、そもそも金銭的な補助を必要としない彼らに150億円の補助金が流れていくだけ、と指摘していた。少なくとも最優先にすべき事項とは思えない。

なぜこのような政策を重視したのか。伝統的家族観への回帰をところどころで見せてきた政権の思惑がある。もっとも顕著に現れているのが、自民党が提示した「日本国憲法改正草案」。「家族、婚姻等に関する基本原則」を記した第24条では、現行憲法には無い一文「家族は、社会の自然かつ基礎的な単位として、尊重される。家族は、互いに助け合わなければならない。」を冒頭に加えていた。助け合わなければならない、と断定されているのだ。

この一文について、自民党憲法改正推進本部が作成した「日本国憲法改正草案Q&A」では、「家族は、社会の極めて重要な存在ですが、昨今、家族の絆が薄くなってきていると言われています。こうしたことに鑑みて」、この条文を入れたと説明される。絆が薄くなったというよりも多様化しているのであって、その多様化に対応することができなければ、子どもを育てながら働く環境を整えることが難しくなる。でも彼らは、「じゃあ、親と一緒に住んで、あるべき家族像を満たしてくれるのならば補助金を出す」という施策に取りかかった。

選挙の度に、待機児童の解消、保育施設の拡充を訴える声がひとまず大きくなるが、自民党が目指している家族像とは、「互いに助け合わなければならない」姿である。この前提を踏まえたうえで見定めなければならない。そして「誰でもできる仕事だからです」というような戯言をのさばらせてはいけない。

『ユニクロ帝国の光と影』（文春文庫）に対し、ユニクロ（ファーストリテイリング）から出版差し止めと2億2000万円の損害賠償を求める訴訟（ユニクロ側の完全敗訴）を起こされた横田増生は新たに『ユニクロ潜入一年』（文藝春秋）という本を記した。そのきっかけとなるのはユニクロの柳井正会長兼社長がインタビューで「悪口を言っているのは僕と会ったことがない人がほとんど」だから、記事を書くなら実際に「働いてもらって、どういう企業なのかをぜひ体験してもらいたい」と漏らしたから。その本の最後に横田は、柳井に対して、自社の社員が「奴隷の仕事だよ」と言い切る仕事を貴君も体験せよ、と挑発する。現状を知らずして、エクセルと指標で金を動かす仕事をすると、「誰にでも出来る」という言葉が出てくる。政治は真っ先にそっちを無視しなければならないが、そっちにばかり寄り添っている。強者が握っている弱者のデータは、弱者の実在ではないのである。

＊新型コロナウイルス感染が拡大する中で、医療従事者、スーパーマーケットの店員、清掃員、公共交通機関の運転手といったエッセンシャル・ワーカーの存在がクローズアップされ、必要不可欠な仕事とは何かと議論される流れにもなったのだが、比較的低賃金で働いているケースの多いそれらの仕事について抜本的に改善されることはなかった。一時期、日経平均株価が3万円を超えるなど、実体経済と乖離した大儲けがさらなる格差を生んだ。堀江貴文が言うところの「誰でもできる仕事」が、コロナという有事を支えたに違いないのだが、そういった恩恵にあずかりながらも、誰にでもできるわけではないと自覚する仕事の価値を保持しようとする姿ばかりが目に入った。国政も都政も、医療従事者を金銭面で支えるのでは

なく、その上空にブルーインパルスを飛ばしたり、小学生に感謝の手紙を書かせたり、気持ちでどうにかしようとした。そこには当然、「おうちにいましょう」という、「おうち」なんてものには帰りたくもない人を存在させない、「正しい家族」が大手を振るっていた。気持ちではどうにもならない。家族に押し付けてもどうにもならない。

空気を管轄する

しつこく、安倍政治と言葉の話を続ける。2017年8月3日、内閣改造を発表した安倍首相は会見で、森友問題・加計問題・防衛省の日報破棄と山積した問題について、自分の責任云々には触れず、「不信を招く結果」になったことについて「おわび申し上げたいと思います」と陳謝し、これからは「国民の皆様の声に耳を澄まし、国民の皆様とともに、政治を前に進めていく」と誓った。

具体的には、この度の内閣改造によって「全ては国民のため、しっかりと仕事に専念できる、結果を出せる体制を整えることができたと考えています。この内閣は、いわば結果本位の『仕事人内閣』であります」と言い切った。国民の多くは、諸問題についての説明が不足していると感じているが、彼らは、いやもう説明は不要であり、とにかく私たちはこれから皆様の声に耳を澄ましますので、と言う。軽めの謝罪がいつのまにか主張の連呼に繋がるのは「安倍話法」の特徴だが、耳を澄まして仕事人に徹すると断言したわずか1カ月半後に、あらゆる政治活動を停止させる衆議院解散という決断に踏み切った。国民の皆様の声に耳を澄ましているのではなかったのだ。

東京新聞（9月19日夕刊）が、同日に開かれた梶山弘志地方創生大臣のコメントを皮肉っぽく拾い上げている。衆議院が解散となる見込みであることを受け、「（第三次安倍第三次改造内閣が）結果を出すか出さないかという点では、まだ結果が出ていないということだと思う」と漏らした。

そりゃそうだ。1カ月半では、英会話教室でもスポーツジムでも結果は出せやしない。「仕事人内閣」を放り出して解散に踏み切った安倍首相は、この解散を「国難突破解散」だと銘打った。9月20日、他国の首脳と比べて明らかに聴衆の少なかった国連総会の演説で、「必要なのは行動です。北朝鮮による挑発を止めることができるかどうかは、国際社会の連帯にかかっている。残された時間は多くありません」と勇んだが、残された時間が多くないのだとすれば、なぜ解散したのだろうか。

その理由について、25日の会見で「民主主義の原点である選挙が、北朝鮮の脅かしによって左右されるようなことがあってはなりません。むしろ私は、こういう時期にこそ選挙を行うことによって、この北朝鮮問題への対応について国民の皆さんに問いたいと思います」と言った。もう一度読み返してみよう。意味が不明である。大義なき解散と言われていたが、大義がないのが問題なのではなく、大義が粗造されたことが問題なのだ。ここまで、たった1カ月半ほどの発言を並べてみたが、その粗造に気付くのは容易だ。

ある通信社から、安倍首相が「国難突破解散」だと銘打ったこの解散について一言で言い表すなら「〇〇解散」でしょうか、との電話取材を受けた。そもそも解散自体が不毛で傲慢の極みなのだから、どんな厳しい「〇〇解散」と銘打ったとしても、命名してしまえば、そこで対立軸が生まれる、それ自体、この解散を認めることになってしまいますね……とグダグダ告げたのだが、依頼を受けた以上、命名をし、「国難づくり解散」とした。

8月の内閣改造で「人づくり革命」なる言葉が生まれ、25日の会見でも「人づくり革命を力強く進めていくためには、その安定財源として再来年10月に予定される消費税率10％への引き上げによる財源を活用しなければならないと私は判断いたしました」としている。国難を突破する、そして人づくりを革命する。他国の脅威に負けずに国内を活性化させるとの要旨だが、彼が作っているのは、どう考えても「人」ではなく「国難」のほうである。

ここまで繰り返し書いてきたことだが、安倍政権の中枢にいる話者は、限られたフレーズで世の中の空気を管轄するのがうまい。森友・加計学園問題への答弁で、「記憶にない」「記録はない」と繰り返された挙句に放たれた「印象操作だ」という叱責や、菅官房長官が設問から取り急ぎ逃げる時に使う「ご指摘にはあたらない」などがその一例。印象操作しているのはむしろ政権側だし、疑問を投げかけたことに対して「ご指摘にはあたらない」と言われても、それで疑問に返答したとは言い難い。

しかし、そういった「逃げ腰なのに強気」という謎めいた言語センスは、安倍政権が世論を作り上げるなかで続けてきたこと。安保法制の議論で野党からのツッコミを「レッテル張りだ」と退け、共謀罪は条文の文言に入ってもいない「テロ」を入れた「テロ等準備罪」で国民の危機意識を煽ったことを繰り返し記憶し直すべきだろう。盤石だった支持率が低下し、自身や妻に大きな疑いがかかったままの難題を抱え、その追及は止みそうにない、と焦る。彼が繰り返し言う「丁寧な説明」は、果たせるはずもない。なぜって、これ以上に丁寧な説明をしてしまっては自分の立場が危うくなるのは明らかだから。

そんな時に、空気を一気に入れ替えられそうな事案、北朝鮮情勢の悪化が転がり込んできた。形だけでも仲裁するかと思いきや、トランプ大統領の後ろに引っ付いたまま。結果として「人づくり」よりも「国難づくり」を優先し、世の中の空気を緊迫させることによって衆議院選挙を戦い抜くのだった。

麻生太郎副総理は、北朝鮮から難民がやってきたら、との仮定の話について「射殺」という言葉を発した。難民を射殺する、と言うのだ。この発言一発で役職を取り除かれるべきだと思うが、メディアの追及は弱い。「東北でよかった」発言で罷免された復興大臣がいたが、「難民を射殺」は罷免されないのだ。報道する側も、いつの間にか「国難づくり」に便乗しているのではないか。その危惧はあるのか。貧相な言葉を放任する優しさが、先方の暴力を作り出している。徒労感はあるけれど、繰り返し指摘しなければ、ますますこの国の空気を、気配を、自由気ままに握られてしまう。

＊「記憶がない」「印象操作」「ご指摘にはあたらない」という常套句は相変わらず使われ続けている。たとえば5年前の10月に誰と会ったか、何を話したのか、その記憶がない場合、誰だって、昔の手帳を振り返ったり、メールを遡ったり、その日に会っていた可能性の高い人に聞き込みをする。だが、「記憶がない」を連発する人たちは、不安定な記憶に絶対的な自信を持っており、自分の記憶のなさを論拠にしてくる。記憶がない、としていた事実が、第三者の指摘で復活すると、「そういうことなんだろうと思う」などと緩やかに記憶を復活させながら、「誤解を与えたとしたらおわび申し上げたい」で終わらせようとする。どこまでも不誠実な政治が続いているが、彼らは、誠実より不誠実のほうが生き残りやすいと知っているのだ。

第5章

強いられるコミュニケーション

今、最も警戒している言葉が、「コミュニケーション能力」である。ビジネスでも、就職活動でも、或いは仲間内でも、コミュニケーションが能力として問われすぎている。相対する人によって、そのコミュニケーションは変容するはずだが、人間が携えるべきベーシックなものとして「コミュニケーション」を備えておくように、との強制力を感じる。自分の生きる社会で、どうやって個を確保するかという道程において、コミュニケーション能力を得てから、個々人の特性を得よ、と命じられる。そんなに、あっちもこっちもできないよ、と思う。従順に生きていくためには個性よりもスキルを優先し、コミュニケーション能力の取得に邁進する。その能力の取得によって、仕事を円滑に回せる人間になる。ふとした時に、自分とは何者か、といった問いかけが浮上し、アイデンティティが見えなくなる。キミの自由は保証するけれど、その代わり、ちゃんとしたキミでいてね、という要請が強まっている。コミュニケーション能力が持つ理不尽が、丁寧で優しい顔をしながら、個々人を萎縮させている。

駅長の言葉に歯向かう

駅のトイレにこれほど頻繁に「いつもキレイにお使いいただきありがとうございます」と掲げられるようになったのは、この5年くらいのことではないか。それまでは、トイレットペーパー以外を流すな、ガムはやめろ、といった駅長からの指示が掲げられていたはずで、さほど素直ではない性格をしている私は、大便は流してもいいのでしょうかと駅長を問い詰めようと思ったほどなのだが、そういう安手の頓知を受け入れてくれる寛容さは元よりない。初対面で求婚されたら詐欺師だと思った方が無難だが、昨今の駅のトイレでは、初めて入ったトイレから「いつも」「ありがとうございます」と宣言されるのだから、私たちは何かしら詐称されているはずである。一体、何を騙されているのだろうか。

男性の小便器の前には「もう一歩前へ」という、ラグビーやアメフトの選手が座右の銘として色紙に書き続けているような文言が並んでいる。あちこちに尿が飛び散らないようにもう一歩前に出て小水をお願いします、との申し出なのだが、小便器のスタンディングポジションは人それぞれであって、人によっては、もう一歩前に進んでしまっては小便器の壁面に接触してしまう可能性すら出てくる。明日に向かって走れと言われると昨日に戻って眠りたいと思う性分なので、「もう一歩前へ」と言われて一歩前に出ることはない。むしろ、そんなことを言ってくるからこそ、一歩前に出ない。掲示を見て、鼻で笑う。一歩前へ出ずに、飛び散らないように心がける。

大勢に察知してもらおうとする話法にいちいち腹を立てるようにしている。簡単には頷かない。「いつもキレイにお使いいただきありがとうございます　○○駅・駅長」の本心は、「多くの人はキレイにお使いいただいているのですが、そうではない一部の人の行為によって私たちは大変困っています　○○駅・駅長」である。こうやって言いたいことを言わずにグッと堪えて自分たちの事情を察知してもらおうとする。それってどこか傲慢だと思うのだが、こうやって謙る姿勢を褒めそやす人もいるのだろう。この手の掲示の多くには、文書作成ソフトに元々内蔵されているイラスト素材から引っ張ったヒマワリやチューリップが添えられていることが多く、そのチープさも相まって、自分はバカにされているのではないかと苛立ってくる。

公共のトイレなのだから、他人様が使用することを考えて使うのは当然のこと。必須なのは、いつもキレイに使う、というより、汚さないようにするという意識だ。駅長は指示を取り下げ謝辞に切り替えたように見えるが、実は「汚さないようにする」

から一段階意識を引き上げて「キレイに使う」ことを要請している。そして、キレイに使わない人たちをあらかじめ咎めているのだ。直接的な指示ではないのに、分かるだろお前、お前のことだよ、気付けよと強制性を高める間接話法に酔いしれている。

学生時代も社会人時代も、質問形式で怒ってくる人が苦手だった。「ねぇ、どうして怒っているかわかる？」というアレだ。このQはどんなAを出そうにもその先に怒りが用意されている。Aが間違っていれば「どうしてそんなこともわからないんだ！」だし、正答であったとしても「どうしてわかっていてそんなことするの！」である。こちらは諸々忙しくしているので手短に怒られたいのだが、わざわざ疑問を投げかけてから怒ろうとする。こちらの不備なのだから叱られなければならない。その時に貴方のご機嫌具合を察知する作業が組み込まれているのが、厄介なのである。それを指摘しようものなら、厄介が何倍にも膨れ上がることを知っているから、致し方なくQに付き合う。面倒臭い。

直接指示するのではなく「わかってくれるよね」という本心を滲ませた言葉づかいが方々に増殖しているのは、私たちが察知する能力を高めたことと、直接的にモノを言うことが憚られる社会になったこととの双方が絡み合っている。「いつもキレイにお使いいただきありがとうございます」という言葉自体には、さほど意味が込められていない。これとは別のところに意味があるってことをわかってくれますよね、という駅長からの促しを、私たちは丁寧にも理解し、日々、実践に移しているのである。駅長の言葉に操縦されているのだ。

駅長と日々の乗客はキレイに使うことについての交歓を終えてしまうから、その駅に初めてやってきた乗客は、この場で仕上がっているやり取りを察知し、追従しなければならない。初めて使う人のことなど想定されていない。駅長たちはどこだって「いつもありがとう」と言ってくる。指示ではなく察知、それもまた言葉の自由であり幅広さの証左なのだろうが、こういう「わかってくれますよね」と促す言葉が幅を利かせている現状が心地悪い。「もう一歩前へ」が何を望んでいるのか、君たちで把握せよという。嫌だよ、と思う。望んでいることはわかっても、それをやらないでおく。歯向かいたい。とっても小さな抵抗だけど、空気を読んでもらうことを前提にした言葉に、少なくとも自分は従いたくない。言葉の力を信じるからこそ、こういう時には、むしろ一歩離れる。その上で丁寧に小便器に臨む。

＊指示されるのではなく、察知する気持ち悪さ。これはこの本に通底するテーマとも言えるわけだが、かといって、私たちはもっと指示を待つべきなのか、といえばそんなことはない。強権を発動してもらわなければ、人々の動きを管理することなんてできない、という考え方は、新型コロナ感染拡大の中で、「リベラル」と称される人たちの中にも広がった。だがど

うだろう。私たちがすべきことは、為政者の権限拡大を認めるよりも、察知によって国民を動かそうとし、責任から逃れようとする為政者を追及することではなかったか。

訃報をこなす感じ

別に名前を隠す必要もないのだが、いたずらに晒す意図もないので匿名にしてみるが、メディアに頻出していた元・バドミントン選手のブログが、いわゆる「炎上」した。そのブログのエントリーのタイトルは「訃報と朗報」。彼女と同じ事務所に所属していた若きアナウンサーが闘病かなわず癌で亡くなったことと、ラグビーW杯で日本代表が南アフリカに歴史的勝利を収めたことを同列に並べたブログを記したのだ。

文章自体、あまりにもポップで、ヘラヘラしている佇まいを隠すことができていない。訃報を伝えるのにもっともそぐわない文体であるとの自覚が芽生えそうにもないほどに弛緩している。ラグビーの勝利を喜んだ後で、「そしてここからは悲しすぎる訃報です」と切り替えて、アナウンサーが亡くなった一件を語り始める。自分の両親も同時期に癌を患っていたから「人ごととは思えず」、マネージャーさんに状況を尋ねていたという。自分の両親は「再発はなく元気に過ごしています」が、その一方でアナウンサーが亡くなられてしまったという報を聞いて、「ショックで言葉が出なくなりました」と書く。

出産を控えていた彼女は、その死を受け止めた後、生まれてくる命を守っていかなければいけない、スポーツができるのも、出産できるのも、「すべて生があるからこそ！　日々感謝する気持ちを忘れてはいけませんね」と締めくくった。このブログがアップされるや否や、なんて非人道的で無神経な人なのだと、彼女へのバッシングが積み重なった。一つのエントリーに「朗報」を書き、次のエントリーに「訃報」を書いていればあらゆる騒ぎから逃れられたわけだが、彼女は「そしてここからは……」と切り替えることで済ませられるとの判断をし、朗報の後に訃報を続けた。

「嬉しいことがありました」「悲しいことがありました」、私たちはこれらを接続して毎日をこなしているわけだが、対外的には接続した状態で披露してはいけない組み合わせがある。おいしいアイスクリームを食べました、でも、その後にお腹を壊しました、というように、明らかな関連性が認められる場合には、その接続が許容される。しかし、とりわけ人の死を眼前にした場合、あらゆる事象を接続不能な状態にしなければ、炎上した彼女がそう認定されたように、非人道的な存在となる。その手の取り締まりで使われる「不謹慎」、という言葉は、このところ、汎用性をどこまでも高めている。

お通夜に行って悲しかったけど、その場で食べたお寿司がおいしかった、という接続は許されないし、お通夜で久しぶりに会った同級生との「20年振りの再会‼」という写真をアップすることは許されない。しかし、人は、その人が亡くなったことをしっかりと悼みながらも、この寿司はそこそこいけるとも思えるし、離れたテーブルに座っていた同級生の姿を見つけて、腹の内で喜びながら「こんなところでってのは残念だけどさ」と静かに語りかけることができる。マナーというのは、人それぞれでスケール感が異なる場面でも一つの指針を優先しなければならないという顔立ちで迫ってくるから、ただただ苦手。マナーとは、自分の中に生まれた、その時々の感情の階層を明らかにしてはならない、と強いる働きかけでもある。

そう考えると、彼女が記した「そしてここからは悲しすぎる訃報です」は、感情の階層を整理せずに、そのままに流してみた行為にすぎない。テクニックがない、といえばそれまでだが、彼女に向かうバッシングは押し並べて、テクニック不足ではなく、「人として」方面に集約され膨らんでいた。

テレビをつければ、さっきまで行列の出来るパンケーキ屋のパンケーキをだらしなくほおばっていたというのに、瞬間的に「訃報です」と張り詰めた空気に切り替えるワイドショー。でも、人が亡くなったというのに、あなたたちったらパンケーキをほおばっていたのね、信じられない、と電話がなりやまないことはない。それは、番組を作る彼らが「死をまたぐ」「死をこなす」技術を持っているからである。しかしながら、技術でまたぐ、こなす死とは、一体なんなのだろう。いたずらに消化される死よりも、それなりに向き合って消化されない死が尊いはずで、ラグビーで日本が勝ったことと事務所のアナウンサーが死んだことをいたずらに混在させてしまう技術の無さのほうが、死への尊さを維持しているとは言えないのだろうか。彼女自身はあまりに無邪気に訃報と朗報をない交ぜにしてしまったが、これを非人道的だと詰問するのは、それこそ人の死を簡素に咀嚼しすぎではないか。

偉人が死した途端に、その功績が絶対化される。小説ならば小説が、楽曲ならば楽曲が、取り急ぎ不朽の名作と化す。死を合図に生の記憶が呼び起こされるのは確かに有意義だけれども、それは、キャリアをこぢんまりと確定させてしまう行為でもある。大物が死すと、翌日の朝刊一面コラムは、誰それの死と取り急ぎ対峙した書き手による、「うまいこと言う」合戦になる。

それなりに愛読してきた野坂昭如が死んだ。その翌日の紙面を覗くと、「八五歳で逝った作家が言葉にし尽くせなかった『思い』を、思う」（東京新聞『筆洗』）、「世界の今を憂いながらの、旅立ちだったに違いない」（朝日新聞『天声人語』）と憂いている。死を合図に、生の記憶が呼び起こされる。確かに建設的な作業ではあるけれど、こういった文章は、付け焼き刃の感傷にも思え、「死をまたぐ」「死をこなす」という読後感に到る。急がないでよ、と思ってしまう。

新聞は、著名人の死亡をどのような基準で取り扱っているのだろう。共同通信社の『記者ハンドブック』を開くと「記事フォーム」という項目があり、そこには死亡記事を載せる基準や書式について、詳細に記されている。出稿となる対象は「社会的地位、知名度、業績を基に、できるだけ幅広く積極的に出す。有名人、企業関係者だけではなく、学生時代に講義を受けた人が全国に散らばっている大学教授、社会的に話題になった住民運動のリーダーなども死亡記事の対象」だという。

通常の訃報欄ではなく、1面や社会面で扱う場合もある。そういった話題性がある場合においては「一般記事で出稿する。有名人でなくても、話題性があると判断したら、一般記事スタイルのヒューマンストーリーに仕立てる工夫が必要だ」（傍点引用者）という。

訃報記事を一般記事スタイルのヒューマンストーリーに仕立てる工夫、という表現にはいくつもの論点が含まれていまいか。まず、ヒューマンストーリーとは何か。ストーリーには辞書を開けば「物語。筋書き。」と出てくるように、創作性が少なからず付着している。あらゆる記事には主観が介在する以上、全ての記事がストーリーとも言えるわけだが、「ストーリーに仕立てる工夫」とはなかなか丁寧に創作性を伝える書き口である。新聞が「社会の公器」だとするならば、「事実を伝える誠実さ」と「ストーリーを仕立てる工夫」は、単語のそれぞれがすっかり対照的になってしまう。『記者ハンドブック』はなかなか一般人が手にする本でもないので、死亡記事が「ストーリーを仕立てる工夫」のもとに出来上っているとは考えないだろう。記事のフォームとして、エモーショナルに盛られることが推奨されている事実は、なかなか意外に思えるはず。私たちは暮れを迎える度に、今年はあの人もこの人も亡くなってしまったと著名な物故者の多さを嘆くが、私たちはただひたすらにエモーショナルな死亡記事を読まされてきた。

誰かの死は、誰かにとってはこの上ない喪失である。しかし、その他の多くの人にとって、死はその人の存在をコーティングするタイミングになってしまう。エモーショナルなストーリーを前にして、惜しい人を失ったことを確認する。死から起動するヒューマンストーリーに、その人の存在をあずけてしまう。模範解答から学ぶように、その人の死を体感することになる。

斎藤美奈子『ニッポン沈没』（筑摩書房）のなかに、ひと頃はやったキーワード「無縁社会」を生み出したNHKスペシャルを書籍化した本に対して、手厳しい指摘がある。身元不明の遺体「行旅死亡人」について、「『行旅死亡人』の人生を何とか取材で明らかにしたい。そして、その無念を晴らしてあげたい。それがせめてもの供養になるのではないか」と断定した書籍に対し、斎藤は「行旅死亡人が必ず『無念』だと、だれが決めたのか。まして当人の了解も得ず、その人生の軌跡を辿ることを彼や彼女は本当に望んでいるのか」と記す。その当たり前の想像を欠いていたことを恥じながら唸る。

人の死に対して、物語を投与してしまう身勝手さを、私たちはすっかり忘れてしまう。行旅死亡人が「無念の死」であるという推察はおおよそ当たっているのだろうけれど、人様のストーリーを、無念という頭で固めた上でまさぐろうとしてはいけない。その行為は、取り組み自体が善意的である以上、野放しにされる。著名な物故者の死にはいつの間にかストーリーが付着し、名もなき物故者はいつの間にかストーリーを剝奪される。私たちは、直接的に知らない人の死を、フォームでこなしているのである。考えもせずに、ルーティーンで慣らす。

様々な年齢や職業の63人に死について問うたスタッズ・ターケルのインタビュー集

『死について！』（原書房）。その中で、死について「だれかが死んだとしても、それはちっとも驚くべきことじゃなくて、そういうものなんだ。人が死ぬということほど、自然なことはないからね」とインタビューを締めくくった小説家のカート・ヴォネガットは、インタビューの半ばで「わたしにいわせれば、迷惑とは他人のことであり、迷惑はときには地獄にもなり得る。他人というのはしょっちゅう人生の邪魔をしてくるもので、それだけでも十分地獄といえるからね」と語っている。他人の死を「そういうもの」としか漏らしようがない、とする彼の考え方は、このご時世ではおおよそ利己的と済ませられるだろう。だがしかしこれこそが、利己的の真逆にある、利他的な態度なのではないか。他人の物語に乗り移ることをなかなか簡単に許しすぎている今、他人への冷たさが生み出す誠実さを見つめてみるべきではないのか。

先のバドミントン選手は、感情の階層を少しだけ整理して、少しだけそのままにしていた。結果、整理がまだまだ足りず「訃報と朗報」を同じ箱に入れてしまった。しかし、自分の中で芽生えるいくつもの感情というのは、基本的に同じ箱の中におさめられているものである。それが自然である。インターチェンジで地方の名産饅頭を大量購入すると小分けする紙袋をもらうわけだが、ああやって感情を小分けして適切な場所に渡していかなければ不謹慎と査定される社会がどこまでも広がっていく。死を扱う人も受け取る人も、「感情は小分けしようぜ！」とばかりにストーリーの共有をはかろうとする、でもそれは、物故者をコーティングするスピードがいたずらに早くなっていくだけにすぎない。

うっかり小分けすることを忘れてしまった「訃報と朗報」の記事を、バッシング後にたちまち消してしまった彼女だが、今、私たちが見つめ直す生と死は、もしかして彼女のうっかりブログにあるのではないか。「そしてここからは悲しすぎる訃報です」と大胆にないまぜにする展開は、人の死を体感する、程の良さを持ってはいなかったか。なかなか危ういブログだが、澄まし顔のルーティーンよりはマシに思えた。

＊このところ、誰かの訃報を聞きつけると、テレビカメラは街を行き交う人の反応を集めようとする。「(○○さんが亡くなられたのですが……と投げて) えーーーホントですか。ショックです。ドラマとか子供のころよく見てたんで」といった、反応の良さをいくつか繫げる。距離の近い人だけが悲しめばいいというものではないが、街の「驚き」で亡くなった事実の重さを確認させられるのは、なによりその対象となった○○さんに失礼だと感じるが、とにかくこなしていく。

「させていただく」への違和感

芸能人についてこねくりまわす連載を長年続けているが、なぜこねくり回すかと言えば、昨今の芸能人に向かう視線というか評定が、ファンの寵愛とファン以外のバッシングにくっきりと区分けされている気がしてならず、その区分けをもたらす寛容と不寛容をじっくり分析してみる必要性を感じているからである。

今、芸能人当人がSNS等を駆使してファンを必死に取り込むことで、ファンが自分たちに対してどこまでも寛容でいてくれる一方、その裏側にこびりついているファン以外の不寛容を恐れに恐れて、様々な所作が慎重になってしまう。少しでも逸脱した行動をとれば、たちまち炎上してしまう。

具体的に言うならば、インスタグラムに写真をアップし続けるママタレントはお弁当に豪華な食材を入れすぎてはいけない。雑すぎてもいけない。どう考えても面倒である。

その連載をまとめた『芸能人寛容論』（青弓社）のまえがきにはこのように書いて

みた。

「テレビを見ていて感じた芸能人へのわだかまりを、じっくり炙って可視化し、精いっぱい受け止める。頼まれてもいないのに、力の限りで寛容する」

視聴者にとって、テレビの中の芸能人って、その多くは「特に気にならない、どうでもいい存在」であるはずなのだが、芸能人の側が視聴者にとやかく言われないように配慮する場面が増えたことで、その関係性がチグハグしてきた。端的に言えば、芸能人のみなさん、そんなにこっちに気を遣わなくてもいいのに、と思うことが多い。

日本中に衝撃を与えたＳＭＡＰ解散の報、所属事務所からの声明と、メンバー個人のコメントがＦＡＸにて発表されたが、２０１６年１月の謝罪会見以降、おおその事の経緯を週刊誌等で把握していた皆々は、言いたくても言えない思いを抱えたメンバーの心情を、短いコメントの中から推察して共有した。

例えば中居正広の「このような結果に至った事をお許しください。申し訳…ありませんでした…」にある「…」の使い方は、言いたいことは他にもありますが、という、かなり直接的なシグナルであった。

あの会見をめぐる事柄で私が気になったのは、（本人達のコメントではなく）事務所からのＦＡＸに「させていただく」との表現が何度も繰り返し用いられていたことだ。出てきた順に列挙してみる。

【1】「SMAPの今後の活動につきましてメンバーと協議を重ねた結果をご報告させていただきます」
【2】「デビューより25年間アーティストとしてグループ活動をして参りましたSMAPは2016年12月31日を持ちまして解散させていただくことになりました」
【3】「7月の音楽番組を辞退させて頂いた経緯がございました」
【4】「本年を持ちまして、SMAPは解散させていただくことになりますが」

と、短い文面で4度も「させていただく」という言葉を使っている。

別途後述するけれど、今回に限らず、芸能人から私たちに対して、「させていただく」という形容が頻繁に用いられている。昨今の、慎重になりすぎる芸能人とファンの関係性を表すキーワードと言えるかもしれない。上記の例で言えば、【1】【3】はまだしも、【2】【4】の「解散させていただく」はどうしたって気になる日本語だ。「解散します」、もしくは「解散することになりました」で構わないはずだ。

メンバー当人たちではなく、所属事務所もまた、「解散します」ではなく「解散させていただく」と配慮たっぷりの表現を用いた。1月の謝罪会見を経て、ようやく沈静化に向かったと信じていたタイミングでの「解散させていただく」、この一方通行に含まれた配慮には、経緯を包み隠したまま終わらせようとする思惑を感知してしまう。

　そもそも「させていただく」という言葉に感じる、違和感の正体は何だろう。辞書をいくつか横断して正確な意味を摑んでみる。『大辞泉（第二版）』には、「相手方の許しを求めて行動する意をこめ、相手への敬意を表す」とあるし、『広辞苑（第六版）』には「相手の指示を頂戴してするという卑下した形で自分の動作を謙遜した意を表す」とあり、付け加えて「最初、上下関係を強く意識する社会で使われ、第二次大戦後一般に広がった言い方」とある。

　つまり、「させていただく」というのは、相手側、今回の場合ならばファンに対して許しを求めたり、指示を頂戴したりする前提において使われるべき言い回しなのである。それなのに、ファン不在で決定事項として「解散させていただく」との通告を受けたのだから、違和感を覚えて然るべきということか。

　穿った見方をすれば、『広辞苑』の「上下関係を強く意識する社会で使われ」との語句説明は、圧倒的な権限を持つ雇用主の下で起きた今件をほのめかしているかのようでもある。

　NHK『視点・論点』で「させていただきます症候群」と題して、敬語講師・山岸弘子氏が「させていただきます」に覚える違和感を論じている。分析すると、違和感には5つのパターンがあるという。その5つが「1・すっきり話そうよ型」「2・だれを立てているの?型」「3・だれに許可をもらったの?型」「4・自分勝手すぎるよ型」「5・『さ』はいらないよ型」である。

「4・自分勝手すぎるよ型」の例文には、「突然ですが、今日でバイトを辞めさせていただきます」とあるが、今回の「解散させていただく」もまさしくこの「自分勝手すぎるよ型」で、この使い方への苦言として山岸が述べている「日数の上でも十分な余裕をもって、理由や事情を述べたあとに、『よろしいでしょうか』『お願いできますでしょうか』と許可を求める姿勢がほしい」は、そのまま今件に踏襲できなくもない。「解散させていただく」という表現を使った以上、所属事務所は、5人揃った上での肉声を伝える機会を作るべきだと思ったが、なかなかその機会を与えなかった。

ＥＸＩＬＥグループを定点観測していると、彼らは頻繁に「させていただく」を使う。大袈裟ではなく、長めのインタビュー映像を見れば、一度は「させていただく」を使っているのではないか。ＥＸＩＬＥ・ＨＩＲＯの著書『ビビリ』（幻冬舎文庫）が先頃文庫化され、そのオビ文には「要はやるか、やらないか」と書かれていたけれど、そんな個々人の傍若無人を何よりも禁じているのがあのグループに思える。あの集団の法規には、過剰な配慮があちこちに積み重なっている。やるか、やらないかではなく、やらせていただく、である。

例えば2016年1月8日に放送された、創設メンバーのパフォーマーＭＡＴＳＵ・ＭＡＫＩＤＡＩ・ＵＳＡの3人の卒業を記念した『中居正広の金曜日のスマたちへＥＸＩＬＥスペシャル』（ＴＢＳ系）を頭からじっくり見てみると、複数の「させていただく」を確認することができる。卒業を控えたＭＡＫＩＤＡＩが「ＬＩＶＥをやらさせていただいて」と言い、ＴＡＫＡＨＩＲＯは先輩のＵＳＡに「テキーラを呑まさせていただいて」と言い、パフォーマーを勇退した際の映像でＨＩＲＯが「自分は今年限りでパフォーマーを一区切り付けさせていただく」と言っている。

　これぞ「上下関係を強く意識する社会」ならではの言語である。３人が卒業するにあたって後輩メンバーにインタビューを敢行するのだが、その多くが３人のことを「御三方」と言っていて、これもまた実に奇妙である。会社の受付にやってきた取引先に「社長はただいま会議中でいらっしゃいます」と答えるような感じ。つまり、身内に敬意をはらってしまっている。それを外に伝えるのって、本来は無礼ですらある。

　しかし、この「させていただく」や「御三方」に対して、無礼だと咎めるファンはいないだろう。むしろその丁寧な言葉遣い、彼らの礼儀正しさは評価されるばかりである。こうして身内を立てる敬語が、誤用ではなく、丁寧な言葉遣いとして受け入れられているのは、アーティストとファンの距離がとことん近いからに他ならない。その仲間の中に自分たちも加えてもらいたい、と意気込むファンに対して、「いや、もう仲間だよ」と伝えてくれる環境の中で、「させていただく」の連呼は効果的に機能するのだ。敬語の役割が値崩れしており、彼らが四六時中謳う「結束」の一手段になっている。

芸能人を受け止める私たちは、もっと距離を持って冷静に突っ込むべきである。さもなければ、プレゼンしてくるほうに操縦されすぎてしまう。知らぬ間に先方の作法を受け入れてしまう。その結果、一斉に攻撃できるのが「不倫しなさそうな女性タレントが不倫した時」くらいというのは、いかにも寛容と不寛容の使いどころを間違っている。

繰り返すが、本来、対・芸能人って、その多くは「特に気にならない、どうでもいい存在」であるはずなのに。

SMAPの所属事務所が出したFAXは、配慮の矛先がよくわからなかった。「解散させていただく」と一方的に伝えても、ファンは納得するはずはない。これほどの大騒ぎになった理由はいくつもあるのだろうけれど、あのFAXにあった「自分勝手すぎるよ型」の「解散させていただく」の波状攻撃に頷けなかった、というのも一つの理由ではなかったか。ものわかりの良すぎる評論家は「平成の終わり」などと現象化することで個々人が抱えていた苦みに向き合わないことで、事務所への配慮も済ますという術に酔いしれていたが、違和感はそこかしこにあった。本当にファンのことを思うなら、「解散させていただく」なんて気を遣わずに、キッパリ言いたいことを言えばいいのになぁ、と業界の論理を知らないふりをした私は思ったのでありました。

＊この原稿を記した後も定期的に「させていただく」を観察していたところ、椎名美智『「させていただく」の語用論　人はなぜ使いたくなるのか』（ひつじ書房）という本が出たので、自分が担当しているラジオにゲスト出演をお願いした。敬語というのは、使われすぎることによって敬意を失っていく傾向を持つものなので、これほど蔓延してきた「させていただく」も同じような経過をたどるのではないか、との見解だった。新たな「させていただく」の収集にも励んでおり、それが「サウナで整わさせていただく」だったのには笑った。誰かに対する過剰なへりくだりではなく、もう対象なんて存在しないのだ。勝手に整ってろよ、と思うが、整わさせていただく、のだそうである。どこまで膨張するのだろう。

吃音者と「コミュニケーション」能力

トーク番組やお笑い番組で、「しゃべろうと思ったのに、うまくしゃべれない」状況が爆笑を呼び込む具材となったのはいつ頃からなのだろう。出川哲朗や狩野英孝に限らず、肝心要のところで嚙むことが笑いの発生源になるケースが増えている。『アメトーーク!』では「滑舌悪い芸人」なるコーナーが定期的に組まれ、うまいこと喋れない様子が笑いの発生源になっている。そのうちのいくらかは「喋れない」様子を過剰に見せているようにも思える。

本来の目的から外れたところで笑いが生じるケースはそこまで珍しいものではない。例えばコント中に演者自身が笑いを堪えられずに吹き出してしまい、それでもコントを無理矢理継続させる様は、イレギュラーな笑いのひとつのパターンとして定着してきた。「予定通りいかない」というのは、常に笑いの重要なエッセンスだ。たとえば志村けんにしても松本人志にしても、コント中や特異なシチュエーションに置かれたとき、茶の間に向けて、「俺は今、笑うのをこらえている」と分かるようにこらえる。その行為をこうして言葉にしてみるとたいそう安直な行為に思えるけれど、笑ってはいけないけど笑ってしまいそうな状態を伝えるのには熟達した技がある。少しだけ停滞した状況を、自分自身が笑いをこらえる様を見せることで打破し、大きな笑いを群がらせていく場面を幾度となく見てきた。しかし、昨今の「うまくしゃべれない」に「今、噛んだやろ!」と突っ込んでいく笑いには、そういったテクニックを感じない。つまり、ただただ敷居が低い。困ったら「噛んで」しまえば、笑いが起きるだろう、との安っぽさ。安っぽければ安っぽいほど汎用性を持つ。「噛む」が笑いに繋がるという認知は、芸能界に留まらず日常的なやりとりにも落とし込まれている。「あ〜、今、噛んだでしょ」という、安っぽいツッコミに端を発する笑いはあちこちで起きている。これって、10年前には無かった日常会話ではないか。

２０１４年1月28日の朝日新聞の記事「吃音　伝わらなくて　就職4カ月　命絶った看護師」はショッキングな記事だった。「同じ音を繰り返したりする吃音のある男性（当時34）が昨年、札幌市の自宅で自ら命を絶った。職場で吃音が理解されないことを悩んでいたという」。「うまく喋れない」ことに対する笑いがポップに投げ出され茶の間に浸透している現在、吃音者にとってそのポップさが少なからず負荷になっている可能性は捨てきれない。１００人に1人という吃音に、決定的な治療法はない。「成長してからは、就職活動が大きな壁になる。面接が重ねられる今の選考方法では、力を発揮できない人が多い」そうだ。与えられた場所で臆することと無く明晰に話せることを重視する採用側は、吃音者を（それが本当は常態化している症状であろうとも）いざという時にうまく話すことができない人材、として不適格とするのだろう。例えば「ヤフー知恵袋」には吃音の症状を持つ就職活動中の学生からの投稿があり、「父親は目に涙を浮かばせながらお前は壁にぶつかるたびに吃音を言い訳にして逃げていると言われました。お前は普段ちゃんと喋っている、ゆっくり落ち着いて話せば喋れる、といつも黙って聞いてきたがもうそれを言い訳にしないで前向きに捉えて生活しろ、と言われました」と切実な悩みを吐露している。決定的な治療法はないというのに、オマエの努力が足りん、で済まされるわけだ。

『アメトーーク！』の「滑舌悪い芸人」では、「吃音」と「舌足らず」と「早口」が一括りにされており、番組からしてみればそれを「滑舌悪い」という括りにおさめてしまうことで生じる面白さを活かしたいわけだが、この爆笑の渦は、先ほどの「お前は壁にぶつかるたびに吃音を言い訳にして逃げている」というような父親の弁に、少なからず加担していく。「噛む」という芸当が当然ながら意図的に盛られる中で、「その気になればちゃんと喋れるんだろうけど」という視聴者の推察が植え付けられる。天然ボケの女性タレントに対して、本当はそこまでとぼけてはいないけどキャラとして天然を演じ切っているんでしょ、とするのに近い。でも実際問題、その気になってもちゃんとしゃべれない人たちが１００人に１人はいるわけだ。となればやっぱり、「噛む笑い」のポップ化は、その１％を置いてきぼりにする。

驚くべきことに、これまで学会等で、吃音が体系的に議論されることは無かった。朝日新聞の記事によれば、最近になって「日本吃音・流暢性障害学会」が発足し、就職活動など社会的な支援のありかたについても話し合われたという。人数の多少で症状の取り扱いを変えるべきではないが、１％という低くない確率で悩まされてきた症状がこれまで宙ぶらりんになってきた事実は重い。経団連の調査で、企業に応募してくる学生に「コミュニケーション能力」を求めると回答するパーセンテージは年々上がってきている。この高まりは下がる事はないだろうから、対話の入り口でつまずくこととなる吃音の症状をこれ以上の無理解に置いてはならない。命を絶ってしまった看護師は、職場での自己紹介用紙に、吃る症状があるとし、「目上の人への報告など緊張する場面の連続」をその原因にあげ、その対処方法に「ゆっくり話している」と書いていた。しかし、職場の理解は得られなかった。「噛む」という笑いがポップに受け取られることは、シリアスに向き合ってきた人をほぐす効能もあるかもしれない（事実、『アメトーーク！』の放送回を見た吃音者からそのようなツイートを見かけた）。しかし、ポップとシリアスは当然、反目し合う可能性も高い。少なくとも企業の採用面接官は、やたらと漠然とした「コミュニケーション能力」という優先順位を高めるのはどうぞご自由にだが、その前に不可抗力でコミュニケーションのスタートがうまくいかない吃音者の存在を、正しく理解しておかなければいけない。

＊その後、吃音についての本、近藤雄生『吃音　伝えられないもどかしさ』（新潮社）や、伊藤亜紗『どもる体』（医学書院）が刊行され、その本に目を通すと、当然のことながら、吃音にも様々な状態・種類があって、シンプルな判断基準で、回復している・していないを計測できるものではない、と知る。相変わらず、テレビ番組を中心に、「吃音」「舌足らず」「早口」が「滑舌悪い」で一緒くたにされたまま。うまく言えなかった、でいつまで笑うつ

もりなのか。

「ありがとうございました」と言ってくれるかもしれない

自宅から最寄り駅までの道中、幹線道路をまたぐ。計4車線の道路だから、またぐ側に与えられる時間はどうしたって短い。幹線道路に車が走りまくった後で、ようやくまたぐ側の時間が用意されるのだが、まずは車両のみの青信号、その後でやっとこさ徒歩でまたぐ人々の通行が許される。時間の配分にして7：1.5：1.5くらいだろうか。タイミングが悪く、またぐ側の通行がちょうど終わった頃合いにその場に辿り着いてしまうと、数分間はそのまま大きな幹線道路に立ち尽くすことになるので、漏れなく角にあるコンビニに入る。信号待ちに合わせて、週刊誌からいくつかの記事を拾い読みする。またぐ側の青信号になりそう、というタイミングで、週刊誌を閉じ、外へ出る。あと10秒で記事を読み終わるとなれば、10秒で読み、青信号に間に合わせるように店内から小走り。もうかれこれ2年はこの小走りを続けている。店員は、こいつ、また、青信号に合わせて出ていくんだな、と気付いている。こちらの体の動かし方は明らかに信号のタイミングに準じている。入店から退店まで、ココで物を買う可能性を少しも示唆していない。時間を潰しに来ました、という顔をしているのだろうし、あちらは時間を潰しに来たな、という顔をしている。双方が露骨な顔を向け合っている。

入店時には、押し並べて「いらっしゃいませ」の掛け声が、レジやその周辺から聞こえてくる。それは彼らが、入って来た誰かには漏れなく挨拶をするように教えこまれているから。「うわ、信号待ちの時間に雑誌を立ち読みするだけのアイツだ」という把握が瞬時にできたとしても、それは挨拶の有無の判断基準を揺るがすものではない。むしろ、コンビニで店員ごとの差が生じるのは、お店を出る時だ。ちっとも買う素振りを見せないコイツにも、ある人は「ありがとうございました」と言う。しかし、ある人は絶対に何も言わない。毎日のように同じ動作を繰り返していると、店員ごとの言う・言わないがあらかじめ判別できるようになる。この人は言わない人、あの人は嫌々言う人、あの人は区別せずにハツラツと言う人、というように。

店を出ていく背中で声の有無を判別していると、時に、これまで言わなかった人が突如言い始めるようになったり、繰り返し言ってくれていた人が言わなくなったりするタイミングが生じる。「いらっしゃいませ」にはマニュアルがあっても、「ありがとうございました」にはおそらくマニュアルがない。信号待ち立ち読み男に、送り出す言葉を出すか出さないか、これは個々人の自由裁量に違いない。そもそも店にとって自分はまったくありがたくない存在で、いちいち応対を見直す必要などない存在のはずだが、応対が徐々に変化していく。こちらはその変化を楽しみながら受け止める。オーナーと名札に記されている中年男性はある日から言わなくなったし、高校生バイトと思しき女性は突如言うようになった。きっかけはわからないけれど、一度変わると、変わったままだ。そもそも自覚があるかどうかすらわからないけれど、接触せずともコミュニケーションが変化していくのが興味深い。媒介しないまま、変化が生まれるのだ。

介護について、言語ではなく仕草を凝視しながら、そこに生まれる緻密な相互作用や意思疎通を探求した細馬宏通『介護するからだ』(医学書院)を読んでいたら、コンビニのおつりの受け渡しでは「想像以上に繊細な出来事」がおこなわれている、との指摘に出合った。店員が右手でお釣りをさらいつつ、左手でレジからのレシートをちぎる、その間、「客のほとんどはまるで何か別のことに気でもとられているように、財布の中身を確かめたり斜めを向いたりしている」。しかし、店員がお釣りとレシートを整えてこちらを向いた途端に、客は手を差し出す。客が指でレシートをつかむ仕草をみせると、店員はレシートを丸めてその指に挟み、掌にお釣りを入れる。相撲の立ち合いのように、それが初めて相対するケースでも、何度目かであっても、タイミングがばっちり合う。合う、というか、互いに合わせていく。よほどの新米でないかぎり、合わせようとするこちらにあちらが合わせられないことはない。

この時、高度なコミュニケーションをこなしているという実感はない。むしろ、いずれかがもたついている場面を列の後ろから確認すると、なぜこんなことくらいで慌てふためくのかと苛立つほどに、いつも通りのやり取り、との把握だ。「滞りなく」が唯一の選択肢なのだ。それを難なく成り立たせるのがいわゆる「マニュアル」だと思われがちだが、果たしてそうだろうか。例えば釣り銭の受け渡しを、こちらとあちらで、その都度成立させてきた交歓なのだと考えてみる時、コンビニという空間は、マニュアルなんてものを悠然と踏み越えた繊細な出来事が連鎖している場所と捉えることができる。「いらっしゃいませ」はさておき、「ありがとうございました」は自由裁量なのだし、釣り銭の受け渡しには、いくつものコミュニケーションが折り重なっている。

袋は要らないので、「そのままで結構です」と言い出すタイミングは、あちらのマニュアル依存度の高さがいかほどかを、こちらが瞬時に察知できるかどうかにかかっている。どこまでも策定された通りに動いている人に対しては、「袋にお入れしますか?」を申し出ようと息を吸うタイミングで「そのままで」と伝える。これがもっとも店員にとってストレスがかからない。マニュアルが定まっていない人は、唐突に袋の有無を尋ねてくるから、もう最初の時点で伝えておく。あちらから言われる前に言う。できれば、言おうと思っていた直前に言う。先方の気分を少しも乱さない方法で伝達することを心がける。それが達成されると、つまり、いかに無難にこなすかというメソッドが達成されると、心地良い気分になる。マニュアルでコミュニケーションを遮断しているのではなく、研ぎ澄まして軽量化している、と考えることもできる。

長年コンビニエンスストアで働き、未だに働き続けているという小説家・村田沙耶香がコンビニを舞台にした小説「コンビニ人間」で芥川賞を受賞したが、彼女自身は「コンビニで働いていると人間が好きになる」（『文學界』2016年9月号）と述べているのだが、芥川賞の選評に目を向けると、コンビニなどの客商売が挨拶を徹底して規律を設けていることを「高度成長の時代にはまだ存在していた『世間』というコミュニティの代替と見ることもできる」（村上龍）とやや大仰な捉え方がどうしたって目立ってしまう。マニュアルの浸透が作り出す「会社への同化・帰属意識の醸成」は、「外部から見ると宗教的でもあり、昔の寺、海外の教会やモスクの役割を果たしているのかもしれないと思うこともある」と書くのだが、むしろ、村田との対談（前出『文學界』）で、自身もコンビニでの勤務経験のある中村文則が、クリスマスになると否応無しにサンタクロースの恰好をさせられる場所なのに、いざ自分が着ても全く違和感が生じない場所だ、という捉え方をしていて、こうやって静かに馴染んでしまう空間なのだとの指摘が腑に落ちた。同化や帰属で一律となるのではなく、個々人の仄かな能動性がマニュアルへの依拠とバランスを保っている場所なのか。

「コンビニ人間」では、万事を当たり前にこなす店員が、その当たり前を堪能することをどこまでも嬉々としながら身体に取り込んでいく様を、それって異様ではないかと内外から諭されていく。でもその突っ込みは、「普通の人間っていうのはね、普通じゃない人間を裁判するのが趣味なんですよ」との言葉からもわかるように、普通以外を探し当てることで普通を保つ人にとっての安堵の代替でしかない。普通を普通に堪能してはいけない。コンビニという存在が身体に忍び込んでいく様を指差して、普通じゃない、気持ち悪い、という声が飛ぶ。それが「コンビニというマニュアルの集積のような職場であっても、そこもまた血の通った人間の体温によって成り立っていることを独特のユーモアと描写力で読ませていく佳品である」（宮本輝）という理解にも落ち着いていくのだが、それよりも、コンビニとは難なくサンタの恰好になれてしまう場所である、という特性に向き合ったのがこの作品である。あのサンタに血は通っていないのである。血は通っていないのに、自然とサンタになれるのである。

政府は、商店の建築が原則禁止されている「第1種低層住居専用地域」、簡略化すれば住宅地だらけの土地においても、コンビニの出店が条件付きでできるように、事実上の規制緩和をおこなうことに決めた。内閣府の規制改革会議の資料「規制改革に関する第4次答申　～終わりなき挑戦～」、その軽薄なサブタイトルに閉口しつつも読み進めると、このようにある。

「コンビニエンスストアは、第一種低層住居専用地域においては建築することができず、第二種低層住居専用地域においては床面積が150㎡以内のもののみ建築することができるが、『買い物難民』への対応やバリアフリーへの対応等の観点から、第一種低層住居専用地域における建築及び第二種低層住居専用地域における床面積制限の緩和を可能とすべきとの指摘がある。

したがって、コンビニエンスストアについて、低層住宅に係る良好な住居の環境を害しない場合には、地域の実情やニーズに応じて、第一種低層住居専用地域における建築及び第二種低層住居専用地域における床面積制限を超えての建築ができるよう、建築基準法第48条の規定に基づく許可に係る技術的助言を発出し、その内容を周知徹底する」

難しい言葉が並んでいるけれど、整理すれば、コンビニ業界からの強い要請に基づいてコンビニ建設要件を特別に緩和してもらい、商機の拡大を狙うというもの。政府にしてみれば、経済活性化の一環として訴えることもできれば、「『買い物難民』への対応やバリアフリーへの対応」とすることもできる。5万店舗、年間10兆円を超えるコンビニ売り上げの更なる拡大が見込まれているわけだが、国土交通省はなし崩し的に許容するのではなく、「地域住民の実情やニーズに応じて許可を出す」（日テレNEWS24）としている。先述のテキストから引用するならば「良好な住居の環境を害しない場合には」が鍵となるが、この基準、一体どのように定めるのだろう。若者がたむろする、といった実に古めかしい懸念が浮上するだろうし、そこからは地域コミュニティが崩壊するとの意見がいくらでも芽生えるはず。商機があると踏んだので適用、という一致団結は、「一定の懸念はあるけど便利になりますから」を強めることで作り上げられるのだろうが、この時に「コンビニというマニュアルの集積」が賛否双方でネガティブに起動する心地悪さを先んじて味わってしまう。

コンビニという「箱」の均一性。そして、そこで働く「個」の均一性。「箱」を作る側は均一を目指しているけれど、そこにいる「個」は均一に身を委ねているだけで、決して均一であるわけではない。唐突に話を大幅に逸らすが、少し前に、『情熱大陸』に大竹しのぶが出演しており、彼女の舞台での演じ方が回ごとに異なることを知らせるために、別日の同じシーンを一つの画面に二つ並べて流していた。その日ごとに演技が異なることを、この番組では「さすが大女優」との文脈で紹介していた。さすがに驚いてしまう。人は、舞台上に限らず、同じ動きをせよと要請されても、同じ動きをしない。できない。「画一性の気持ち悪さ」ではなく、「いつもの〝画一性の気持ち悪さ〟に回収しようとする力の強さに気付けない」制作者の存在を知る。もしかして、彼らは大女優でもなければその都度の動きができない、と思っているのだろうか。

「いらっしゃいませ」は画一でも、「ありがとうございました」は人それぞれ。その「ありがとうございました」は一回きりかもしれないし、継続性を持つかもしれない。いくらでも違いが生まれる。そこにあるものを、いたずらにノッペリとしたものだと咀嚼する働きかけをもう少し疑いたい。遂に今日こそ「ありがとうございました」が投じられるかもしれない、この可能性をあまり早急に放り捨てるべきではない。このあたりを蔑ろにして動きをひとつに絞ろうとする態度が、結局のところ、あらゆる『世間』というコミュニティ」の空気をありきたりのまま更新させる。それは間違い、というより、つまらないと思う。

＊リモートでの打ち合わせが増えているが、人間の動きって、わずかにずれるだけでコミュニケーションに支障をきたす。相手の動作が、今、ではなく、０・５秒前の動きであるだけで、それがどういう意味を持つものなのかが見えなくなる。この戸惑いに慣れないようにしている。人との対話は、あらゆることに作用されながら続いていく。本コラムにあるように、コンビニでお釣りを渡されるだけでも、実に複雑なつくりをしているものなのだ。

コミュニケーションを「能力」で問うな

自分の住むマンションのゴミ出しは、朝8時までに済ませておくべしと定められており、その旨が入口の掲示板に大きな文字で掲げられているのだが、マンションに住む人々は、実際にゴミ収集車がやってくるのが9時15分から30分にかけてであることを知っているので、8時半くらいまでに出しときゃいいんだろう、との空気を共有している。田母神俊雄に似た管理人は、毎朝7時45分頃に出勤し、作業着に着替えて8時すぎにマンションの入口周辺の掃除を始めることから一日の仕事をスタートさせる。8時を守らせなければいけない管理人が、厳密に指摘することはない。なぜって、どうせ収集車はやってこないからだ。

今日、自分は8時10分頃にゴミ捨て場に向かった。管理人から咎められる可能性はないけれど、そうはいっても規定の時間を過ぎている。できれば管理人と鉢合わせになりたくない。2階から階段で下りると、管理人がしゃがみながら入口の脇にある草木の手入れを始めたのが見える。出来る限り存在を消し、挨拶せずに彼の後ろを通り過ぎようとする。今日は空き缶・ビンを捨てる日。自分も妻もお酒を一切飲まないので、週によっては、捨てる缶・ビンがひとつも無いことすらあるのだが、このところ、四方八方から素麺が届く事態が生じ、それに伴い麺つゆの消費量が激増、麺つゆのビンを二つも捨てることになった。

管理人の後ろをそっと通り過ぎたくらいのところで、麺つゆと麺つゆが「カンッ」と小さな音を立ててしまう。その音に気付いた管理人が振り返り、「おはようございます」と挨拶してくる。そのまま通り過ぎてしまっていた自分は上半身だけをひねりながら管理人の顔を見て「あっ」と小さく声を出し、わずかながらに頭を下げる。ゴミ捨て場に向かいながら思う。「あっ」はないだろうよ。後悔する。まったくよろしくない朝のスタートである。

それにしても自分は、どうすれば、あの「あっ」を回避できたのだろうか。どうすれば、正しいコミュニケーションができたのだろう。なぜこんなことになったのか。10項目ほど並べてみる。

1．「おはようございます」と挨拶してきた管理人に対し、素直に「おはようございます」と切り返せばよかった。

2．規定の時間から10分ほど遅れているとはいえ、あちらから挨拶される前に堂々と挨拶すればよかった。

3．2階に住んでいるというのにエレベーターを使っている自分。でも今朝は、上から下りてくる人の存在を察知し、「▼」ボタンを押したにもかかわらず、階段で下りることにした。エレベーターに同乗し、その住人と一緒に降りていれば、その住人が先んじて管理人に挨拶をしたかもしれない。その場合、自分はそこに便乗するだけでよかった。

4．実はゴミの準備自体、7時50分にはできていた。8時までフジテレビで放送されている『めざましテレビ』に出てくる面々は、自分達のことを「めざましファミリー」と呼ぶ。〝ファミリー〟だからなのか、彼らは「昨日、このライブに行ったんですよ」だとか「私、（この新商品のことを）知ってます」などと、スタジオで身内の対話を嬉々として繰り返す。なぜ毎日そんなものを見せられているのだろうかと、ひと月に1回くらい憤るのだが、ちょうど今朝がその日にあたり、うっかり8時までその番組を見てしまった。あんなファミリーなど無視して、7時台に家を出ていればよかった。

5．そもそも麺つゆの話である。いつも、麺つゆは3倍程度に水で薄めるタイプのものを使っているのだが、この1週間ほど前、普段はあまり行かない小さなスーパーで、薄めずに使うストレートタイプの麺つゆを買ってしまった。冷蔵庫にある麺つゆがもう少しで無くなることを妻が覚えていたので、止むなくそのスーパーで買って帰ったのだが、うっかり間違えてストレートのものを買ってしまった。もし、いつものように薄めて使うタイプの麺つゆを購入していれば、捨てるべき空きビンは一つだったのだから、麺つゆ同士が小さな音を立てることはなく、管理人に気付かれることはなかった。

6．スーパーで買った麺つゆは陳列棚の下段に置かれていた。図体がデカく、そして極端に体が硬い自分は、その詳細を確かめずに適当に選んでカゴに放り込んだ。確かめればよかった。

7．そのスーパーはとても狭く、しゃがむのにも一苦労。後ろにある棚が、ビンの多い調味料コーナーではなく、仮にお菓子売り場だったとすれば、リュックが少し接触したとしても構わないと判断し、そのましゃがんでいたかもしれない。

8．いや、狭いとはいえ、しゃがむスペースくらいはあった。でも、その日は、市の中央図書館から取り寄せていた本8冊が図書館の分館に届きピックアップしていたので、容量の大きいリュックを背負っていた。狭いスーパー内で背負ったまま屈んでしまうと後ろにある棚にブツかりそうになるほど、リュックが膨らんでいた。だから、しゃがむことができなかった。体の向きを変えてでもしゃがめばよかった。

9．リクエストしていた8冊とは、稲田朋美防衛大臣の著書や、彼女が対談で参加している本ばかり。都議会議員選挙の応援演説で「自衛隊としてもお願いしたい」などと発言した稲田大臣に批判が殺到したことを受けて、彼女のこれまでの言動について考察する原稿を書くことになったのだ。彼女がもしそんな発言をしなければ、このスーパーに、このリュックで来ることはなかった。破れかけのトートバッグでいつものスーパーへ行ったはず。そうすれば、薄めるタイプの麺つゆを間違いなく選んでいたはず。

10．そもそも稲田朋美はとっくに辞めるべき存在だった。南スーダンPKO日報破棄問題しかり、森友学園問題で、自分は森友学園の顧問弁護人だったことはないと明言した直後に、実は弁護士として出廷していましたと訂正・謝罪した案件しかり、首相は、いくら自分のお気に入りであろうとも切っておくべき人材だったのだ。彼女を切ってさえいれば、私はあのスーパーに行くことにはならなかった。

以上、10項目をあげてみた。論理が飛躍しているだろ、と思われる方もいるかもしれないが、飛躍はしていない。この10項目のうち、ひとつでも別の選択肢が用意されていたならば、自分はあそこで管理人に対して「あっ」とつぶやくという、後悔するコミュニケーションをおこなわずに済んだのである。そう、稲田朋美が失言を繰り返さなければ、自分はマンション前で「あっ」と言わずに済んだのである。

あの「あっ」の瞬間を思い出しながらこの原稿を書いているが、実際には8時10分頃の後悔なんてものは、自分の家に戻った1分後にはすっかり頭から消えている。1日を過ごす中で積もるコミュニケーションのうち、取るに足らないコミュニケーションの部類に入る。でも、その1点だけを意図的に事細かに振り返ってみれば、これだけの要素が浮上してくるのだ。自分が管理人と円滑なコミュニケーションをとれなかった背景には、めざましファミリーの突出した仲睦まじさや、狭小スーパーならではの陳列事情や、稲田朋美の虚言癖があったのである。

自分と誰かのコミュニケーション不足を分析しようと試みる時に、私たちは責任をお裾分けするようにして、あるいはなすりつけるようにして、自分と誰かはどうすれば良かったのかばかり検証しようとする。検証しすぎた結果、自分の人格そのものを疑る結果になったり、相手の素性をいたずらにまさぐったりすることになる。でも実際はどうなのだろう。自分と誰かのコミュニケーションって、自分と誰かによってのみ構成されるものではないと思う。どの瞬間、どの対話、どの目くばせであっても、自分と誰か以外のいくつもの要素がかかわってくる。

「コミュニケーション能力」と、コミュニケーションという言葉に何食わぬ顔で「能力」が付着することに慣れてしまったが、コミュニケーションなんてものは、そもそも自分と誰かの「能力」で測られるものなのだろうか。その疑いを述べる為には先ほど10項目挙げたような屁理屈が必要になるけれど、理屈に屁を付けてでも、コミュニケーションに「能力」をつけることを常態化させ、どうだい、君、そっちの能力はあがっているかい、と問い質されるような機会を減らすべきだと思う。

マンションの管理人に威勢良く挨拶できなかった自分は「コミュニケーション能力不足」ということになるのだろうけれど、繰り返すように、ひとつの環境を事細かに追えば、「コミュニケーション能力不足」だけで語れるはずがないのだ。そのやり取りを「稲田朋美のせいだ」としてみることすら可能になる。そして、稲田には悪いが、コミュニケーションの「能力」を問わずに、稲田のせいにすることによって、こちらの平穏は保たれたりもする。人のせいにするって、時には健康的なことでもある。

日頃、皮肉めいた文章を書くことが多いからか、何がしか自分の文章を読んでくださった後で初めて会った人からは、自分が基本的には穏やかに接する人間であることに驚かれる。こちらはその驚く様に驚く。そういう時には「今、ここで、その水を僕にひっかけても怒りませんよ」と言う。冗談ではなく本気である。「どうしてですか?」と返してくるので、「だって、怒ったところで、濡れてしまった洋服が乾くわけでもないから」と答えるのだが、相手はポカンとするか、面倒臭そうな表情に切り替わる。

これまで、誰かと声を荒らげて争ったことはない。声を荒げ続けている人をボーッと眺めていると、声を荒げ続けることへの責務とか意地みたいなものが8割だとわかるので、その鍛錬にこちらは頭を下げたくなる。こちらにとって、頭を下げる行為は「すみません」ではなく「ご苦労様っす」くらいのつもりなのだが、あちらが「そうかわかったか、分かればいいんだよ」くらいの満足げな表情を浮かべるので、伝わってないな、と思いつつも、一件落着とさせている。

小学校には「どうして先生が怒っているかわかる？」と尋ねてくる先生がいた。会社には「なんで俺が怒ったかわかっているのか？」と怒鳴ってくる上司がいた。怒らせてしまった行為に対しては謝るけれど、怒らせてしまった自分の気持ちを察知せよ、ケアせよというのはこちらがこなすべきタスクなのだろうかと思う。と、そう思っていることがバレると、改めて怒られてしまう。なぞなぞ形式による高度なコミュニケーションの希求を丁寧に遮断する手段を知りたい。

コミュニケーションは「能力」ではなく、複数の要素によって成り立っている。複雑なものをシンプルに伝える時にこそ「能力」が発揮されそうなものだが、コミュニケーション能力って、シンプルだと信じ込んだ上で、その前提から「能力」を発生させるからなかなかしんどい。

「コミュ力」と略されるソレは、ありとあらゆるコミュニケーションに根を張っている。すっかり流行り言葉になってむしろ使いにくくなってしまったが、この日本では「忖度」に代表される空気の読み合いが、コミュニケーションの「能力」として当たり前に求められてきた。言われる前から「不快な思いをした方がいたとしたら申し訳ございません」と述べるアレだ。

マンションの管理人に続いては、マンションのポストに入っていたチラシの話をしたい。マンションの前の通りを挟んで斜め前には幼稚園があり、その幼稚園で七夕の日にお泊り保育をするという。その旨を伝えるチラシが入っていたのだ。なぜわざわざそんなことを伝えてくるのかといえば、いつもより遅くまで子どもたちがいるので皆さんに迷惑をかけるかもしれない、との主旨なのだった。別にちっとも迷惑じゃない。チラシを全文そのまま載せるわけにもいかないので、少々加工しながら引用する。「今回のお泊まり保育の狙いは、『何でも自分でやってみることにより、自信や自立心をもつ』、そして『友達との共同生活のなかで互いに協力することを知ることができる』です。

通常より遅い時間に子ども達の声が響くこともあると思いますが、子ども達の成長のための体験の場として、ご迷惑をおかけしますが、ご容赦くださいますようお願い申しあげます。

また、10日（月）には、笹もやしの活動を午前中に行いたいと考えています。七夕飾りの笹を園庭で燃やして願いを届けます。少々煙が出るかもしれませんがご了承くださいませ。もしも気になることがございましたら、遠慮なく幼稚園までご連絡ください。

連絡先：○○幼稚園　担当・○○」

ポストの前で通読し、そこはかとない苛立ちに襲われる。幼稚園が斜め前のマンションに住民に伝えたいことは一つ。「この日、ちょっと遅くまで子どもの声が響きますんでヨロシクどうぞ」。こちらの答えは勿論、「はい、了解です。どうぞどうぞご自由に！」である。連絡すら不要だ。でも、連絡しなければ住民から文句が出る可能性があるから通達するのだろう。しかし、「子ども達の成長のための体験の場」なんだから容赦いただきたい、「願いを届けます」ので煙が少し出ますけど了承してほしい、で、もしも気になるならば連絡してくださいと言われると、逆にわざわざ苛立ってしまう。


こう言うととても冷たい人間に思われるかもしれないが、幼稚園がどんな狙いでお泊り保育をしていようが知ったことではなく、そちらが必要だと思ったならばやればいいと思う。マンション内で24時間耐久鬼ごっこをするというのならばマンション住民に許諾が必要だが、幼稚園の中でおこなわれる事案にこんなに丁寧な説明はいらない。ましてや「狙い」なんてこちらに伝えなくてもいい。自由に騒いで、すくすく育って欲しい。ああいうお泊り会って、とにかく楽しかった。世のクレーマーがそうさせた、というのがこのチラシの存在なのだろうけれど、お泊り保育の意味を周知させなければいけないこの手の丁寧な「コミュ」に辟易する。その知らせを投じてくるほうにこそ、「自信や自立心」がないよな、などと意地悪なことを思ってしまう。こういう丁寧な告知をしておけば、「どうして勝手に笹の葉を燃やすんだ！」と怒る存在を先んじて防ぐことができる。でも、こういう過剰な配慮が彼ら自身の身動きを狭めてしまう。「子ども達の声が響くこともあると思いますが、子ども達の成長のための体験の場として」とある。別に、子ども達にとって成長が見込まれる場ではなくても、どうぞ子ども達、声を響かせておくれよ、と思う。自由にわめけ、不必要にはしゃげ、と思う。

日々、幼稚園のそばにあるマンションで仕事をしていると、時折、子ども達同士の遊ぶ奇声の間から、大人には想像し得ない対話が飛び込んでくる。ある時に聞こえたのは、

「もう一度生まれ変わったら、ご飯をたくさん食べられるようになりたい！」

である。それに対して、友達は「ねー」と返した。それはおそらく同意の「ねー」だと思う。「もう一度生まれ変わったら」の後に続く言葉として、「ご飯をたくさん食べられるようになりたい！」は大人の口からは出てこない。彼らのコミュニケーションは、大人が想定しているものを平然と飛び越えてくる。

こちらからは把握しきれない目的意識を持って、言葉にする。その言葉にちゃんと

応対する仲間。その豊かな発想をそのままにしておくべき、に違いない。ちゃんとしますので少しの迷惑をお許しください、などとほのめかす必要はないのである。ちゃんとしなくていい。お泊り保育にわざわざ断りなどいらない。

コミュニケーションを、正解の積み重ねによって「能力」で語ろうとする動きは強まる一方。でもコミュニケーションって、常に失敗しているのであって、そして、そこから飛躍していくのであって、失敗や飛躍を放置しておくほうが、対する個々の振る舞いに対して寛容でいられると思う。

コミュニケーションに失敗する。でも、その失敗は、私個人による失敗ではない。あらゆる要素によってその瞬間がやってくるのだから、自分を指差したり、犯人を探して糺弾してはいけない。

「我が国の成長を支えるグローバル人材の育成とそのような人材が活用される仕組みの構築を目的として設置」（首相官邸ウェブサイト）された「グローバル人材育成推進会議」、その組織が規定する「グローバル人材」の定義はこうだ。

「語学力・コミュニケーション能力、主体性・積極性、チャレンジ精神、協調性・柔軟性、責任感・使命感、異文化に対する理解と日本人としてのアイデンティティーなどを有する人材」

こんなにたくさん有する人はいない。ひとりもいない。そもそも首相官邸にいない。

そういう人になろうと幅寄せしてくる人ならばいくらでもいるだろう。今、この国のコミュニケーション能力って、正直、主体性・積極性を持たないことによって最高値に持っていくことができる。チャレンジ精神と協調って、本来、同列にはできまい。協調を避けるところからチャレンジが始まるのだから。

目の前にある物事を整理し、私とあなたのコミュニケーションという状態で測りすぎなのではないか。コミュニケーションってタイマンではない。私とあなたの間には、いくつもの要素が入り込んでいる。そのことを知ると、人は動きやすくなるはずなのに、どうしてだか、コミュニケーションに「能力」を付着させて、拘束されたがるのである。

＊相手がいなければ発生するはずのない「コミュニケーション」を個人の力として査定する動きは加速する一方だが、どんな人とでも難なく会話を重ねることができるか、という問いかけに対しては、「そんなの、どんな人かによるっしょ」という答えだけが正しいに決まっている。しかし、人間を査定するために用いられる「コミュニケーション能力」はますます幅を利かせる。個性個性個性と繰り返すくせに、その個性と、どんな人とでもうまくやっていける能力が隣り合っているのだ。これがよくわからない。わかる必要はないのだけれど。

あとがき

なんか気持ち悪い、なんかムカつくと感じたことについて、気持ち悪い、ムカつく、と書く。書いている頭ん中は、そんなにズバリ明確ではない。問題と向き合いつつも、あやふやなまま、意見を表明してみる。「なんか」を振り払うためにも、えい、やぁ、と具体的に書いてみる。その過程をそのまんま出してみる。苛立ちを吐き出すことが重要、と思っている。

キミの原稿には「ズルい」って言葉がよく出てくる、と指摘されたことがある。昔から「うまいことやってる奴」が嫌いで、身のこなしだけで目的地に最短距離でたどり着く要領の良さが気に食わなかった。それは今も変わらない。世の中の空気を見定めつつ、持論を微調整しながら「この人わかってる」と共感されるためのテキストを書く人たちがいる。そういう人たちは、何よりもまず、怒りのボルテージを下げる。憤りを隠す。世の中の匂いを嗅ぎ分けて、態度を決める。こういうことを言っておくとイイ感じに思われる、と言葉を置きにいく。

「あなたはどう思う?」と尋ねても「社会学では」や「西洋哲学では」との答えだけが返ってくる場所が論壇ならば、そことは縁遠くありたい。あなたはどう思う、と聞いているのだから、自分はこう思う、と答えてほしいのだけれど、自分の言説はプロフェッショナルで普遍性を持っているとする、感情をセーブした「オレ」のプレゼンが止まらない。そんなこと、聞いていない。

偉い人はいつだって世の中を管理しようとする。ならばその管理を問うと、過去と未来に逃げ、現在の問題を直視させないようにする。それに対応するように、物書きが分析屋と予想屋だけになると、「あなたはどう思う?」という問いかけが宙に浮く。そこには感情がない。それって嫌だなと思う。空気を読んで、気配を察知する。そのために必要なのが、個人としての意見を慎む、だとしたらズルい。

ムカつくものにムカつくと言うのを忘れたくない。個人が物申せば社会の輪郭はボヤけない。個人が帳尻を合わせようとすれば、力のある人たちに社会を握られる。今、力のある人たちに、自由気ままに社会を握らせすぎだと思う。この本には、そういう疑念を密封したつもりだ。あちこちの媒体で記したものを1冊にまとめるにあたり、晶文社の安藤聡さんと相談しつつ、違和感と憤りをそのまま持ち運ぶことを心がけた。

改めて読み返すと、いちいちそんなこと言わなくてもいいのに、と思うのだが、今、いちいちこんなことを言わなくてはいけないのだ、と思い直している。

2018年3月

武田砂鉄

増補版のためのあとがき

で、結局、東京オリンピックは開催されてしまったのだろうか。

これを書いているのは、開会式が行われるとされている日の10日ほど前なのだが、今、どんな空気なのかを書き残しておけば、本書が発売される頃には、あるいは後々読まれる時に、わりかし重要な記録になるのかもしれない。それくらい、世の中の流れが速い。

新型コロナウイルス感染拡大が止まらないなかにあって、開催か中止かの議論が繰り返されるのは当然のこと。多くの人が開催に反対するなか、NHKをはじめとした従順なメディアが率先して、有観客か無観客かの議論にすり替え、中止を訴える人はさすがに減ってきたし、そもそも現実的ではないですよね、なので、あとは観客の有無ですね、という政府の強引な舵取りに乗っかった。

いつまで反対しているのですか、と聞かれれば、開催前日まで、いや、開催してからも、いや、開催後も反対しますね、と答える。だって、招致時に支払われたペーパーカンパニーへの賄賂疑惑は放置されたままだし、コンパクト五輪・復興五輪などと銘打ったものの、ひたすら肥大化しながら復興を後回しにした五輪を作り上げ、そして何より、五輪開催を優先することによって、コロナ対策が後手後手にまわった。コロナ対策が後手後手、この言い方をよく聞く。もうちょっと具体的にしなければいけない。後手後手になり、感染者が増えた。感染者が増えれば、重症者も増える。重症者のうち、残念ながら亡くなる人が出てきてしまう。五輪は、人を殺めてしまったのだ。そうやってスリムに伝えると、異議を唱えたくなる人も出てくるかもしれない。ならば、スリムにしなくていい、その間に、いくつもの要素を盛り込んで構わないので、それを否定してみてほしい。否定できるだろうか。それとも、少しくらいの被害ならしょうがないとでも言うのだろうか。

２０１３年６月、当時の自民党政調会長・高市早苗が、神戸市で行われた講演で福島原発事故についてこのように述べたことを忘れない。

「原子力発電所は確かに廃炉まで考えると莫大なお金がかかる。稼働している間のコストは比較的安い。これまで事故は起きたが、東日本大震災で止まってしまった悲惨な爆発事故を起こした福島原発を含めて、それによって死亡者が出ている状況にもない。そうすると、やはり最大限の安全性を確保しながら活用するしかないだろうというのが現況だ」

高市は、「福島原発の事故で死亡者が出たわけではないと言った。後日、「被曝が直接の原因で亡くなった方はいないが、安全基準は最高レベルを保たなければいけないと伝えたかった」と弁明したが、この弁明に納得できる人はいるのだろうか。爆発した破片が体に突き刺さって死んだり、その場で強烈な放射線を浴びて死んだりした人はいないと言いたかったらしい。いろいろ大変なことが起こりましたが、考えてみれば、あの爆発事故で死んだ人はいないんです。どんな人でも、反論を10個くらい、たちまち用意できるだろう。

似ている。とても似ている。オリンピックが終わったら、こういう高市的な言動、つまり、「開催するまでは確かに問題が山積していましたが、いざ、大会が始まると、つつがなく進行しました。多少の感染者が出ましたが……っていうか、そんなことより、見ましたか、ほら、あの劇的な決勝戦。誰もが、もう無理だ、せいぜい銅メダルかって思っていたら、後半の巻き返し、すごかったですよね。あの金メダルは、コロナ禍で苦しむ私たちへの希望のメッセージになりましたよね」などと誤魔化していくのではないか。開催前に書いているが、開催後に読んでいる皆さんには、ああ、アレのことかな、といくつか頭に浮かぶはず。そう、アレのことだ。アレが、積み上がった問題のカモフラージュになっていないだろうか。

2017年、新国立競技場の建設工事に従事していた23歳の現場監督が、月に200時間近い残業を強いられるほどの過重労働の末、自殺した。2021年、日本オリンピック委員会（JOC）の経理部長が自殺した。JOC・山下泰裕会長は、地下鉄に飛び込んだ経理部長について「頭の側面にしか当たっていない。飛び込んだっていうのと全然違う」と主張し、自殺ではないと強引な主張を繰り返したが、とにかくまず、同じ組織の中で働いてきた人間の死を受け止めようとしない姿勢に愕然とした。彼の死は、こっちの仕事がプレッシャーになって死んだわけではないんです、と主張する。本書でも言及しているが、新国立競技場建設のために潰された霞ヶ丘アパートの住民たちは立ち退きを強いられた。住民がアパートから去るまでを追ったドキュメンタリー映画『東京オリンピック2017　都営霞ヶ丘アパート』を観た。長らく守ってきた生活を潰された人たちの動揺を踏んづけるように、巨大な運動会が覆いかぶさった。アパートを追い出される直前、住民の一人が「上が悪いのよ」と言う。その言葉が忘れられない。上が悪いのだ。

手元に『東京2020オリンピック　公式ガイドブック』がある。冒頭に、この五輪開催に向けたスローガンがある。本書の問題提起をそのままぶつけたくなるというか、あちらからこちらに近づいてきてくれたかのような、金メダル級の言葉の軽さが際立っている。引用して突っ込む、という作業を繰り返してみたい。

「世界は、間違いなく異なる国や人種や性や世代でできていて、多種多様な価値観が存在する。それが時として私たちを戸惑わせ、距離を生じさせることもあるだろう」

出た、デカい言葉を扱うこの感じ。世界は、と言い始める、そんなあなたは一体誰なのか。「多種多様な価値観」という言い方はあちこちで使われる常套句だが、それをひとまず、「戸惑わせ」るものだとしてみる筆致に、こちらこそ戸惑う。とはいえ、さすがに、この一文は「しかし」と続いていく。

「しかし、その異なる私たちは、アスリートの肉体や勇気や挑戦を共に目撃して、共に心震わせ、笑い、泣き、拳をあげるのだ」

スポーツは「異なる私たち」を変えることができるものだという。果たして、スポーツってそんなに万能なのだろうか。そして、スポーツがない状態では、私たちは異なっているという前提でいいのだろうか。この社会には、まだまだ、あちこちに差別意識が残っている。もちろん、自分の体の中にも情けないほど残っている。確認して自己嫌悪に陥ることも多い。でも、自分なりに取り除こうと試みる。残っているけれど、減らせてきたかな、とも思っている。「異なる私たち」の壁を一時的にスポーツが取っ払ってくれるとの宣言に対し、少なくとも私は、なんと失礼な見解だと思う。だって、そんなの、こっちは、スポーツに頼らなくたって、やってるよ。まだ足りないと思いながら、もっとやろうとしているんだよ。

「そう、人と人は明らかに異なり、しかし間違いなく同じだ」

コピーライティング講座で真っ先にダメ出しをくらいそうな言葉選びだが、私はコピーライティング講座に通ったことがない。もしかして、こういうのが「クール！」と褒めそやされる世界なのだろうか。違う、と感じた人は、今からでも力強く否定したほうがいいと思う。

「ひとつの風景を共有し、体験をする。そこで共に抱く感情が、壁の向こう側を想像する力になり、互いを区別するものを超えてゆく力になる。人は、時間と場所を共有することで共に生きる意味を見つけるのだ」

壁はそのままあるらしい。互いを区別するものはあるらしい。それを超えるのが、スポーツが作り上げる風景の共有・体験だという。私は壁を壊したい、互いを区別するものを消したいと思うのだが、そういう作用はオリンピックにはないらしい。オリンピック憲章に「オリンピック・ムーブメントにおけるスポーツ団体は、スポーツが社会の枠組みの中で営まれることを理解し、政治的に中立でなければならない」とある。スポーツは社会の枠組みの中で営まれる、今回のオリンピックはちゃんとそう理解できていただろうか。社会で起きている緊急事態よりもスポーツを優先すれば、あとはどうにかなってくれるはずと期待し続けた政治家の姿は、「政治的に中立」だっただろうか。最後にこう締めくくられる。

「人間は人間がいる光景から未来への大事なことを知る」

「United by Emotion」

ちょっともう、よくわからない。それって別にオリンピックじゃなくてもいいし、このコロナ禍でやるべき理由になるはずがない。意味のあるようなないような言葉を並べてみる。そして、雰囲気が変わるのを待つ。人間は人間がいる光景を守らなければいけない。その光景は、100種類よりも200種類、200種類よりも500種類と、あればあるほどいい。今、この日本社会を動かそうとする立場の人は、この光景の絞り込みばかりをやってくる。スタンダードを提示し、それに準じるように要求する。それは人間の営みを刈り取る行為だ。

エモーションはユナイテッドする必要はなく、それぞれの場所で炸裂したり、大切に保たれていたりすればいいものだ。改めて本書を読んだら、今感じている憤りと合致する物言いがいくつもあった。自分で書いたのだから当然といえば当然なのだが、変わらずに保つのはそう簡単ではない。エモーションを、他人からの作用で増減させたり取り外したりしたくない。

オリンピックの後の日本はどう変わっていくべきか、なんて議論が早速始まっているのだろうか。安倍晋三首相が2013年、オリンピック招致のスピーチで言った、「福島原発はアンダーコントロールの状態にある」って、あれ、嘘をつきましたよねと再度問いかける、今からでも問う、これが私の、誰にも奪われたくないエモーションである。

2021年7月12日　武田砂鉄

解説　気配を勘繰らさせていただきます

中島京子

空気ではなく、気配なのだ、と著者は言う。

「今、政治を動かす面々は、もはや世の中の「空気」を怖がらなくなったように思える」と、冒頭にある。「空気」として周知される前段階の「気配」なのだ、問題は。

この違いを、本書の単行本が出た2018年やそれ以前の時点で、わたしが明確にわかっていたかどうか心もとないのだけれど、2021年、緊急事態宣言下でオリンピックが開催されようとしているいま（これを書いている）、わたしは完璧にこの違いを知っている。

だって、2021年5月の朝日新聞の世論調査では、中止か延期を希望する人が8割以上だったのだ。これは「空気」だろう。空気は「中止か延期」だったのだ。ところがなにかの「気配」を察したメディアが、そーっとゴールポストを動かした。「無観客か有観客か」が世論調査で問われるようになり、もう中止も延期も無理だ、議論すべきは観客の数だ、みたいな「空気」が作られていく。あの、5月から6月にかけてあった、え？　と、なにかを二度見してしまうような感覚、二度見した目の先にあったもの、あれが「気配」だ。

本書の扱う時事は、たとえば新国立競技場建設計画の撤回だったりする。あれは2015年夏のことだった。けっこう遠い昔のことに感じられるのは、ケチのつき始めがあれだったみたいな気がするからかもしれない。オリンピックのために立ち退きをさせられた霞ヶ丘アパートの住民の声として、こんな言葉にぶつかった。「私たちがひとりの『人として』尊重されていると感じることができません」。この言葉はいまや、かなり多くの人々の胸に刺さるのではないだろうか。ワクチンも打ってもらえずに、補償のあいまいな休業要請や自粛を迫られつつ、オリンピックの狂騒に巻き込まれることになった多くの人の胸に。

マルティン・ニーメラーの有名な言葉、「ナチスが○○を攻撃したとき、わたしは何もしなかった。なぜならわたしは○○ではなかったから」というリフレインが続き、最後に、「自分が攻撃されたときは抵抗してももう遅かった」と語る言葉を思い出す。あれはたしか「発端に抵抗するためには、終末を見通せなければならない」ことの説明として続く言葉だった。新国立競技場が「発端」かどうかもわからないが、多くの人が終末を見通せていたら、いま、ここには至っていないのかもしれない。

本書には、このように、ああ、これ、警鐘だったのにと思わせるところがあって、悔恨めいたものを抱かされもするのだが、ハッと気を取り直して現在を鋭く見据える契機にさせてもらえるような考察にも出会う。

わたしはテレビをあまり見ないので、小池百合子のどこがいいのか、さっぱりわからない。マジックのように票を操る彼女には、なにか特別の才能なり、魅力なりがあるのであろうけれど、わからない、わからないと、ずっと思っていた。でも、わかった。そうか、「テレビ活用」の達人なのか！　たしかに、彼女を応援する層と、テレビのワイドショーを無批判に観る層は、かなりな部分で重なるに違いない。詳しくはぜひ本文を読んでいただきたいが、「小池百合子とラーメン屋とテレビクルー」で解説されるこの都知事像は、話題になったノンフィクションよりもずっと説得力があった。小池百合子の思惑どおりに、テレビが彼女のイメージを「氾濫」させ続けるかぎり、彼女の権力は盤石だと思う。

テレビといえば、官邸のメディアへの介入、圧力も、本書が扱う大きなテーマのひとつだ。ここに、「勘繰れ」という言葉が出てきた。NHKが戦時性暴力を扱った番組をつくったときに、安倍晋三氏（当時の内閣官房副長官）が放送総局長を呼び出して言ったとされる、「ただでは済まないぞ。勘繰れ」というもの。「勘繰る」という言葉は、命令形ではほとんど使われないが、権力者が恫喝に使ったとなるとインパクトがある。類義語を探せば「邪推せよ」だが、安倍氏は国語が苦手……ではなかった、国語辞書に新たな意味を追加する名人でもあるので、「最悪を想像しろ」くらいの意味だろうか。相手が自発的に人の意向を汲んでアクションを起こすことを強要するニュアンスが、「勘繰れ」と「自粛（要請）」には共通する。もちろん「忖度」もしばしば暗に要求される。わたしたちはそうした、自発的隷従を他発的に強要される社会に生きている（「隷従」は第2章のテーマでもある）。考えてみれば、「コミュニケーション」をテーマにした第5章で論じられた「させていただく」にも、自発的隷従のニュアンスが籠っている。「気配」を「勘繰」って「自粛」「させていただ」いたりする、この奇妙な動きを、やめなくてはいけない。

奇妙な動きはずっと続いている。ここがマックスだ、ここが底だと思っても、まだまだ底があるような続き方をしている。この「気持ち悪さ」と、とりあえずは向き合う必要がある。「ムカつくものにムカつくと言う」ことを決意した著者の感じ取る「気持ち悪さ」と「ムカつき」から、目を逸らすことができずにいる。

〈初出一覧〉

第1章

・ヘイトの萌芽――「晶文社スクラップブック」2015年11月16日
・「われわれ」とは誰なのですか――「晶文社スクラップブック」2016年6月10日
・あいつがテロリストかもしれないよね――「晶文社スクラップブック」2016年2月13日
・悲しみをとどめる――「晶文社スクラップブック」2016年3月17日
・「笑われる」気配――書き下ろし

第2章

・予測された混迷　ただ解体が進んだ国立競技場――「世界」2015年9月号（〈ただ解体が進んだ国立競技場――予測された混迷〉を改題）
・地方創生と原発広告――「LITERA」2014年10月11日（〈安倍政権の「地方創生」は「原発広告」バラまきの手口と似ている〉を改題）
・首相を揶揄する落書きを描いた場合のみ逮捕される社会――「Newsweek」2015年10月7日（〈首相のポスターに落書きした場合のみ逮捕される社会〉を改題）

・軽減税率適用を懇願する新聞・出版の体たらく――「Newsweek」2015年10月21日（〈軽減税率適用を懇願する新聞・出版の低姿勢〉を改題）
・左派が天皇陛下の言葉にすがる理由――「SAPIO」2016年1月号（〈なぜ左派は天皇陛下の言葉にすがるようになったのか〉を改題）
・鼻くそを自由にほじれない社会――「ハフィントンポスト」2014年1月15日
・一体どこまで監視を許容するのか――「Newsweek」2016年8月18日（〈ますます許容されていく「監視」への違和感〉を改題）
・マイナンバーを提供しません――「文春オンライン」2017年2月20日
（〈上戸彩から波瑠へ。どんどんポップになるマイナンバーCMの怪しさ〉を改題）
・子どもにすがる消費税増税CM――「日経ビジネスオンライン」2014年11月11日（〈子役の消費税CMにはムリがある〉を改題）
・「安楽死」を〝お涙頂戴〟の新ネタにするな――「日経ビジネスオンライン」2014年11月18日
（〈「安楽死・尊厳死」と「医療費圧縮」がリンクする怖さ〉を改題）
・「ダウン症が増えました」という記事の暴力性――「ハフィントンポスト」2014年4月24日
・ニール・ヤングがスターバックス不買運動を起こした理由――「CINRA.NET」2014年11月28日

第3章

・「誤解」と言わせないための稲田朋美入門――「cakes」2017年7月5日

・小池百合子のテレビ活用法――「cakes」２０１７年10月４日
・「昭恵夫人だから」で許しちゃう感じ――「cakes」２０１７年３月29日
・イヴァンカ・トランプ初来日公演――「cakes」２０１７年11月８日
・長谷川豊の「日本語の持つ力」――「cakes」２０１６年10月５日
・秋元康の「右傾化」パフォーマンス――「LITERA」２０１４年11月13日（〈ＡＫＢを安倍首相と自衛隊に提供…注意！ 秋元康が愛国ビジネスを展開中〉を改題）
・なんと、美しく下品であるのだろう――『文藝別冊 米原万里』（河出書房新社）２０１７年
・思うがままに糞をする――『文藝別冊 水木しげる』（河出書房新社）２０１６年

第４章

・胸に刻み続ける〝官設〟話法――「晶文社スクラップブック」２０１５年９月９日
・「他よりマシ」と付き合う――『徹底検証 安倍政治』（岩波書店）２０１６年（〈あやふやなのにやりたい放題―過去と未来に逃げる政権〉を改題）
・憤りを引きずる――「Journalism」２０１６年１月号（〈メディアは新年の門出を祝う前に昨年の憤怒を引きずらなければならない〉を改題）
・嘲笑のひとつひとつを許さない――『標的の島』パンフレット
・「ハーフ」ではなく「ダブル」――「ポリタス」２０１５年８月14日（〈「ハーフ」ではなく「ダブル」の視点で「今」の自分を考えよう〉を改題）
・「２０２０年」でうやむやにする人たち――「WEBRONZA」２０１７年６月19日（〈「安倍主

導」の改憲論議のいかがわしさ〉を改題）
・国民を置き去りにする政治の「正しい言葉」――「新潮45」２０１７年３月号（〈いつまでたっても道半ば「アベノミクス」〉を改題）
・正しい家族になりましょう――「Newsweek」２０１６年３月22日（〈保育の拡充よりも優遇される「３世代同居」補助の不可解〉を改題）
・空気を管轄する――「週刊金曜日」２０１７年10月６日号（〈安倍話法　空気を管轄する「国難づくり解散」〉を改題）

第５章

・駅長の言葉に歯向かう――「考える人」２０１７年冬号
・訃報をこなす感じ――「晶文社スクラップブック」２０１５年12月15日
・「させていただく」への違和感――「現代ビジネス」２０１６年８月28日（〈ＳＭＡＰ「解散させていただく」表現へのとてつもない違和感〉を改題）
・吃音者と「コミュニケーション」能力――「ハフィントンポスト」２０１４年２月22日（〈面接官は、吃音者を「コミュニケーション能力不足」と勘違いしてはいけない〉を改題）
・「ありがとうございました」と言ってくれるかもしれない――「晶文社スクラップブック」２０１６年８月16日
・コミュニケーションを「能力」で問うな――「現代思想」２０１７年８月号

＊いずれの原稿も大幅に加筆・改稿しています。

本書は二〇一八年四月、晶文社より刊行された『日本の気配』に増補したものです。

超芸術トマソン　赤瀬川原平

都市にトマソンという幽霊が！　街歩きに新しい楽しみを、表現世界に新しい衝撃を与えた超芸術トマソンの全貌。新発見珍物件増補。（藤森照信）

日本美術応援団　赤瀬川原平・山下裕二

雪舟の「天橋立図」凄いけどどこかヘン!?　光琳にはなくて宗達にはある〝乱暴力〟とは？　教養主義にとらわれない大胆不敵な美術鑑賞法!!

ぼくなりの遊び方、行き方　横尾忠則

日本を代表する美術家の自伝。登場する人物、起こる出来事その全てが日本のカルチャー史！　壮大な物語はあらゆるフィクションを超える。（川村元気）

モチーフで読む美術史　宮下規久朗

絵画に描かれた代表的な「モチーフ」を手掛かりに美術を読み解く、画期的な名画鑑賞の入門書。カラー図版約150点を収録した文庫オリジナル。

しぐさで読む美術史　宮下規久朗

西洋美術では、身振りや動作で意味や感情を伝える。古今東西の美術作品を「しぐさ」から解き明かす『モチーフで読む美術史』姉妹編。図版200点以上。

春画のからくり　田中優子

春画では、女性の裸だけが描かれることはなく、男女の絡みが描かれる。男女が共に楽しんだであろう性表現に凝らされた趣向とは。図版多数。

ROADSIDE JAPAN 珍日本紀行 東日本編　都築響一

秘宝館、意味不明の資料館、テーマパーク……。路傍の奇跡ともいうべき全国の珍スポットを走り抜ける旅のガイド、東日本編一七六物件。

ROADSIDE JAPAN 珍日本紀行 西日本編　都築響一

蝋人形館、怪しい宗教スポット、町おこしの苦肉の策が生んだ妙な博物館。日本の、本当の秘境は君のすぐそばにある！　西日本編一六五物件。

既にそこにあるもの　大竹伸朗

画家、大竹伸朗「作品への得体の知れない衝動」を伝える20年間のエッセイ。文庫では新作を含む木版画、未発表エッセイ多数収録。（森山大道）

私の好きな曲　吉田秀和

永い間にわたり心の糧となり魂の慰藉となってきた、最も愛着の深い音楽作品について、その魅力を語る、限りない喜びにあふれる音楽評論。（保苅瑞穂）

グレン・グールド　青柳いづみこ
20世紀をかけぬけた衝撃の演奏家の遺した謎をピアニストの視点で追い究め、ライヴ演奏にも着目、つねに斬新な魅惑と可能性に迫る。（小山実稚恵）

Ai　ジョン・レノンが見た日本　ジョン・レノン絵　オノ・ヨーコ序
ジョン・レノンが、絵とローマ字で日本語を学んだスケッチブック。「おだいじに」「毎日生まれかわります」などジョンが捉えた日本語の新鮮さ。

アンビエント・ドライヴァー　細野晴臣
はっぴいえんど、YMO……日本のポップシーンで様々な花を咲かせ続ける著者の進化し続ける自己省察。帯文＝小山田圭吾　（テイ・トウワ）

skmt　坂本龍一とは誰か　坂本龍一＋後藤繁雄
坂本龍一は、何を感じ、どこへ向かっているのか？　独特編集者・後藤繁雄のインタビューにより、独創性の秘密にせまる。予見に満ちた思考の軌跡。

ゴッチ語録　決定版　後藤正文
ロックバンドASIAN KUNG-FU GENERATIONのフロントマンが綴る音楽のこと。対談＝宮藤官九郎他。コメント＝谷口鮪(KANA-BOON)

ホームシック　ECD＋植本一子
ラッパーのECDが、写真家・植本一子に出会い、家族になるまで。植本一子の出産前後の初エッセイも。二人の文庫版あとがきも収録。（窪美澄）

キッドのもと　浅草キッド
生い立ちから凄絶な修業時代、お笑い論、家族への思いまで。孤高の漫才コンビが仰天エピソード満載で送る笑いと涙のセルフ・ルポ。（宮藤官九郎）

小津安二郎と「東京物語」　貴田庄
小津安二郎の代表作「東京物語」はどのように誕生したのか？　小津の日記や出演俳優の発言、スタッフの証言などをもとに迫る。文庫オリジナル。

しどろもどろ　岡本喜八
「面白い映画は雑談から生まれる」と断言する岡本喜八。映画への思い、戦争体験……、シリアスなことでもユーモアを誘う絶妙な語り口が魅了する。

ゴジラ　香山滋
今も進化を続けるゴジラの原点。太古生命への讃仰、原水爆への怒りなどを込めた、原作者による小説・エッセイなどを集大成する。（竹内博）

劇画 ヒットラー　水木しげる

ドイツ民衆を熱狂させた独裁者アドルフ・ヒットラーとはどんな人間だったのか。ヒットラー誕生からその死まで、骨太な筆致で描く伝記漫画。

悪魔くん千年王国　水木しげる

途方もない頭脳の悪魔君が、この地上に人類のユートピア「千年王国」を実現すべく、知力と魔力の限りを尽して闘う壮大な戦いの物語。（佐々木マキ）

河童の三平　水木しげる

豊かな自然の中で、のびのびと育った少年三平と、河童・狸・小人・死神そして魔物たちが繰りひろげる、ユーモラスでスリリングな物語。（石子順造）

のんのんばあとオレ　水木しげる

「のんのんばあ」といっしょにお化けや妖怪の住む世界をさまよっていたあの頃――漫画家・水木しげるの、とてもおかしな少年記。（井村君江）

ゲゲゲの鬼太郎（全7巻）　水木しげる

ご存知ゲゲゲの鬼太郎とねずみ男をはじめ、妖怪たちがくり広げる冒険物語。水木漫画人気を一気に高めた時期の鬼太郎作品すべてを、全七冊に収録。

つげ義春コレクション（全9冊）　つげ義春

マンガ表現の歴史を変えた、つげ義春。初期代表作から「ガロ」以降すべての作品、さらにイラスト・エッセイを集めたコレクション。

つげ義春の温泉　つげ義春

マンガ家つげ義春が写した温泉場の風景。一九六〇年代から七〇年代にかけて、日本の片すみを旅した、つげ義春の視線がいま鮮烈によみがえってくる。

私の絵日記　藤原マキ

つげ義春夫人が描いた毎日のささやかな幸せ。家族三人の散歩。子どもとの愉快な会話。口絵8頁。「妻、藤原マキのこと」＝つげ義春。（佐野史郎）

おそ松くんベスト・セレクション　赤塚不二夫

みんなのお馴染み、松野家の六つ子兄弟が大活躍！　日本を代表するギャグ漫画の傑作集。イヤミ、チビ太、デカパン、ハタ坊も大活躍。（赤塚りえ子）

バカ田大学なのだ!?　赤塚不二夫

マンガ史上最高のキャラクター、バカボンのパパを主人公にした一冊！　なぜママと結婚できたのかなどの謎が明かされる。（椹木野衣）

百日紅《さるすべり》（上・下）　杉浦日向子
北斎、お栄、英泉、国直……絵師たちが闊歩する文化文政期の江戸の街を多彩な手法で描き出す代表作の完全版、初の文庫化。（夢枕獏）

合　葬　杉浦日向子
江戸の終りを告げた上野戦争。時代の波に翻弄された彰義隊の若き隊員たちの生と死を描く歴史ロマン。第13回日本漫画家協会賞優秀賞受賞。（小沢信男）

YASUJI東京　杉浦日向子
明治の東京と昭和の東京を自在に往還し、夭折の画家井上安治が見た東京の風景を描く静謐な世界。他に単行本未収録四篇を併録。（南伸坊）

COM傑作選（上・下）　中条省平編
60年代末に、マンガ界に革命を起こした伝説の雑誌。手塚治虫、永島慎二をはじめ、矢代まさこ、岡田史子らの作品を再録。（中条省平）

ビブリオ漫画文庫　山田英生編
古書店、図書館など、本をテーマにした傑作漫画集。主な収録作家――水木しげる、永島慎二、松本零士、つげ義春、楳図かずお、諸星大二郎ら18人。

水鏡綺譚　近藤ようこ
戦国の世、狼に育てられ修行をするワタルと、記憶をなくした鏡子の物語。著者自身も一番好きだったという代表作。推薦文＝高橋留美子（南伸坊）

増補　ハナコ月記　吉田秋生
「オトコってどおしてこうなの？」とハナコさん。「オンナってやつは」とイチローさん。ウフフと笑いがこみあげるオールカラー。（糸井重里）

ムーミン・コミックス　セレクション1
ムーミン谷へようこそ　トーベ・ヤンソン＋ラルス・ヤンソン　冨原眞弓編訳
ムーミン・コミックスのベストセレクション。1巻はムーミン谷で暮らす仲間たちの愉快なエピソードを4話収録。オリジナルムーミンの魅力が存分に。

カムイ伝講義　田中優子
白土三平の名作漫画『カムイ伝』を通して、江戸の社会構造を新視点で読み解く。現代の階層社会の問題が見えると同時に、エコロジカルな未来も見える。

白土三平論　四方田犬彦
60年代に社会構造を描き出した『カムイ伝』、蜂起の歴史哲学を描いた『忍者武芸帳』等代表作、そして「食物誌」まで読み解く。書き下ろしを追加。

品切れの際はご容赦ください

幕末単身赴任 下級武士の食日記 増補版　青木直己

きな臭い世情なんてなんのその、単身赴任でやってきた勤番侍が幕末江戸の〈食〉を大満喫！　残された日記から当時の江戸のグルメと観光を紙上再現。

神国日本のトンデモ決戦生活　早川タダノリ

これが総力戦だ！　雑誌や広告を覆い尽くしたプロパガンダの数々が浮かび上がらせる戦時下日本のリアルな姿。関連図版をカラーで多数収録。

誰も調べなかった日本文化史　パオロ・マッツァリーノ

土下座のカジュアル化、先生という敬称の由来、全国紙一面の広告。――イタリア人(自称)戯作者が、資料と統計で発見した知られざる日本の姿。

建築探偵の冒険・東京篇　藤森照信

街を歩きまわり、古い建物、変わった建物を発見し調査する〝東京建築探偵団〟の主唱者による、建築をめぐる不思議で面白い話の数々。（山下洋輔）

鉄道エッセイコレクション　芦原伸編

本を携えて鉄道旅に出よう！　文豪、車掌、音楽家――、生粋の鉄道好き20人が愛を込めて書いた「鉄分100％」のエッセイ／短篇アンソロジー。

ヨーロッパぶらりぶらり　山下清

「パンツをはかない男の像はにが手」「人魚のおしりは人間か魚かわからない」。〝裸の大将〟の眼に映ったヨーロッパは？　細密画入り。（赤瀬川原平）

坂本九ものがたり　永六輔

名曲「上を向いて歩こう」の永六輔・中村八大・坂本九が歩んだ戦中戦後、そして3人が出会ったテレビ草創期。歌に託した思いとは。（佐藤剛）

日々談笑　小沢昭一

話芸の達人の、芸が詰まった一冊。柳家小三治と佐渡の芸能話、網野善彦と陰陽師や猿芝居の話、清川虹子と喜劇話……多士済々17人との対談集。

おかしな男　渥美清　小林信彦

芝居や映画をよく観る勉強家の彼と喜劇マニアのぼく。映画「男はつらいよ」の〈寅さん〉になる前の若き日の渥美清の姿を愛情こめて綴った人物伝。（中野翠）

ウルトラマン誕生　実相寺昭雄

オタク文化の最高峰、ウルトラマンが初めて放送されてから40年。創造の秘密に迫る。スタッフたちの心意気、撮影所の雰囲気をいきいきと描く。

ちくま文庫

日本《にほん》の気配《けはい》　増補版《ぞうほばん》

二〇二一年九月十日　第一刷発行

著　者　武田砂鉄（たけだ・さてつ）
発行者　喜入冬子
発行所　株式会社　筑摩書房
東京都台東区蔵前二―五―三　〒一一一―八七五五
電話番号　〇三―五六八七―二六〇一（代表）
装幀者　安野光雅
印刷所　中央精版印刷株式会社
製本所　中央精版印刷株式会社

ISBN978-4-480-43759-4　C0195